FRETBOARD ROADMAPS SLIDE GUITAR

THE ESSENTIAL PATTERNS THAT ALL THE PROS KNOW AND USE

BY FRED SOKOLOW

スライド・ギターを弾こう

ATN, inc.

もくじ

はじめに

優れたスライド・ギタリストたちは、どのようなキーでも、フレットボード全体を使って、プレイすることができます。彼らはいくつかのオープン・チューニングとスタンダード・チューニングで、ブルース、ロック、カントリー、またはポップ・ソングをプレイすることができるのです。

ギターのフレットボード上で移動可能なパターンを利用すると、これらのことを簡単に行えるようになります。プロのギタリストたちは、たとえ楽譜が読めなくても、これらの**フレットボード・ロードマップ**（Fretboard Roadmap）に精通しています。これは、あなたが他のプレイヤーと共演する時に、**欠くことのできないギターの知識**なのです。

もしあなたが、次のような問題を抱えているのであれば、フレットボード・ロードマップが役に立つでしょう。

- すべてのスライド・ソロが同じサウンドになってしまうので、自分のプレイをもっとヴァラエティに富んだものにしたい。
- プレイしづらいキーがある。
- 思いついた、またはハミングできるスライド・リックをすぐにプレイできない。
- 断片的なフレーズやパターンなどは弾けても、それらを結びつけて利用することができない。

本書を進めていくにしたがって、多くの謎が解明されていくはずです。あなたがスライド・ギターを演奏することについて真剣に考えているのなら、本書は、解明の光を投げかけ、膨大な時間を節約できることでしょう。

Good Luck !

Fred Sokolow

フレットボード・ロードマップ・シリーズには、本書**スライド・ギターを弾こう**の他に、**ロック・ギターを弾こう**、**ブルース・ギターを弾こう**、**カントリー・ギターを弾こう**、**ブルーグラス＆フォーク・ギターを弾こう**が出版されています。いろいろなスタイルのギター・テクニックを身につけたいと思ったら、ぜひトライしてみましょう。

CDと練習トラック

本書のすべてのリック、リフ、練習曲は、付属のCDに収録されています。菱形（❶）の中の数字は、付属CDのトラック・ナンバーです。

CDには5つの**練習トラック**も収録されています（p.52参照）。各トラックは、それぞれオープンGチューニングの第1ポジションのスライド・リックや、キーEのスタンダード・チューニングによるスライドなど、特定のソロ・スタイルで組み立てられています。また、ステレオの一方のスピーカーからはリード・ギターが、もう一方からはバック・バンドの演奏が聴けるように録音されているので、マイナス・ワンとしてあなたのギターをフィーチャーした演奏が楽しめます。

各トラックでは、それぞれブルース・ボックス1、ダブル・ノート・リックなどの、特定のテクニックを説明しています。

また、リード・ギター・トラックの音を消して、バック・バンドのトラックに合わせてソロの練習をすることもできます。

スライド・ギターを弾く前の準備

スライド・バーの使用

きれいなサウンドを得るためには、スライド・バー（ボトル・ネックともいう）で軽く弦を押さえます。強く押さえると、ブーンという音やフレット・ノイズが出てしまいます。スライド・バーをネックに対して真っ直ぐになるように持ち、フレット線と平行に、そして通常指で押さえる場合のようにフレットとフレットの間ではなく、フレットの真上にスライド・バーを軽く置きます。そうしなければ、音がフラットになってしまいます。

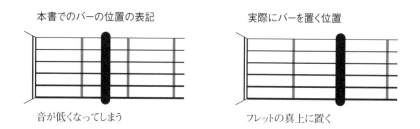

本書でのバーの位置の表記　　　実際にバーを置く位置

音が低くなってしまう　　　フレットの真上に置く

ミューティング

フレット・ノイズを出さないために、必要のない弦はピッキングする手の余った指でミュートします。また、スライド・バーをつけている指のうしろ側の指（薬指にバーをはめているなら、中指や人差し指）でミュートをします。

スライド・バーを使った演奏法

低い音から高い音へとスライドするだけでなく、もちろんスライド・ダウンさせたり、アップ・ダウンをくり返すこともできます。また、スライド・バーを使って押さえていても、スライドをしないでコードをプレイすることもできます。これらのテクニックは、これから始める練習で説明しています。下のスライドの練習をスタンダード・チューニングで弾いてみましょう。

🎵 練習を始める前に、CDの❶でチューニングをしましょう。

*スタンダード・チューニング：6弦＝E
5弦＝A
4弦＝D
3弦＝G
2弦＝B
1弦＝E

* standard tuning：ギターのチューニングのことで、レギュラー・チューニングともいう。1弦のE音は、正確に調律されたピアノの中央Cの音から、2全音上のE音と同じになる。また、全弦を半音下げたハーフ・ステップ・ダウン・チューニングも、現在では準スタンダード・チューニングといえるほど普及している。スタンダード・チューニング以外では、オープン・チューニング（p.7脚注参照）、ドロップDチューニング、ナッシュビル・チューニングなど多様なものがある。

Gチューニング：第1ポジション
オープン・Gチューニング、ブルース・スケールとメジャー・スケール

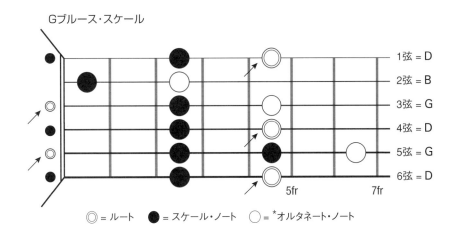

Gブルース・スケール

1弦 = D
2弦 = B
3弦 = G
4弦 = D
5弦 = G
6弦 = D

5fr 7fr

◎ = ルート ● = スケール・ノート ○ = *オルタネート・ノート

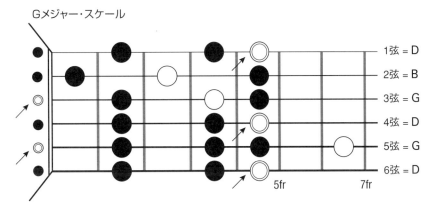

Gメジャー・スケール

1弦 = D
2弦 = B
3弦 = G
4弦 = D
5弦 = G
6弦 = D

5fr 7fr

なぜ？

- ミシシッピー・デルタ・ブルースのプレイヤーたちによって広められた**オープンGチューニングは、ロック、ブルース、R&B、カントリー、フォーク、そしてゴスペルといった、さまざまなジャンルのスライド・ギタリストに使われています。上のスケールに一度慣れてしまえば、数えきれないほどのメロディーやリックを、オープンGチューニングの第1ポジションでプレイできるようになります。

どんなもの？

- 上のROADMAP 1の2つのダイアグラムは、どちらもGチューニングです。このチューニングで開放弦（弦を押さえない）をすべてストロークすると、Gメジャー・コードをプレイすることになります。これが**オープンGチューニング**という名前がつけられている理由です。

- スケールとは、ラインやコードを組み立てるガイドラインです。時には、上のスケール・ノート以外の音も使えます。

- 矢印（↗）のある二重丸（◎）は、トニック（G）（またはルート）と呼ばれる音を示しています。第5フレットにトニック（ルート）が多くあります。たくさんのリックが、この音か、他のポジションのG音に解決します。

- 白丸（○）は、隣の開放弦（または最低音）と同音のオルタネート・ノートです。例えば、6弦第5フレットと5弦の開放弦は、どちらもG音になり、3弦第4フレットと2弦の開放弦は、どちらもB音です。

---

* alternate note：異なる弦上の同じ音のこと。つまり、代わりに弾ける音。

** open tuning：ギターのチューニングの一種。ギターは通常スタンダード・チューニングでチューニングされているが、これに対し、ブルース・ミュージシャンなどの間では、あるキー（調）に合わせたさまざまな種類のチューニングが使われ、その中で、6弦全部の開放を弾くと、あるコードになっているチューニングがあり、それをオープン・チューニングと呼ぶ。スライド・ギター奏法やフィンガーピッキング奏法では、現代でもオープン・チューニングがよく使われる。

どのように？

3

- スタンダード・チューニングから、オープンGにチューニングしましょう。
  - ◉ 4弦（D）、3弦（G）、2弦（B）は、スタンダード・チューニングと同じです。
  - ◉ 6弦（E）を2フレット分下げ、Dにします。すなわち、4弦の開放の音に合わせます。
  - ◉ 5弦（A）を2フレット分下げ、Gにします。すなわち、6弦の第5フレットの音に合わせます。
  - ◉ 1弦（E）を2フレット分下げ、Dにします。すなわち、2弦の第3フレットの音に合わせます。

- **G音から始めて、スケールの上行と下行をプレイします。まずはスライド・バーを使わないで指で弦を押さえましょう。**

  Gチューニング

  Gブルース・スケール

  Gメジャー・スケール

- **同じスケールを、異なる弦のオルタネート・ノート**（前ページ参照）**を使ってプレイしましょう。**

Gブルース・スケール

Gメジャー・スケール

- オルタネート・ノートを使ってスライドやヴィブラートをプレイしましょう。3弦の開放のG音では、スライドすることができません。しかし、4弦の第5フレットのG音にはスライド・アップすることができます。また、開放1弦の開放のD音では、ヴィブラートをプレイすることはできませんが、2弦の第3フレットのD音でヴィブラートはできます。

やってみよう！

- ブルージーな曲で、ソロをアドリブ（インプロヴヴァイズ）するために、ブルース・スケールを使ってみましょう。次ページのSliding Rocks #1では、コード・チェンジにかかわらず、すべてのソロは、Gブルース・スケールに基づいています。

- ヴィブラートを使って、ギターを歌声のようにサウンドさせてみましょう。均等なヴィブラートを得るためには、フレットを押さえる手の親指をギター・ネックの裏に軽く置き、フレット（実際の音）の少しうしろから、ちょうど真上にかけて前後にスライドして音を震わせます。これによって、音を歌わせ、長く延ばすことができるのです。また、ヴィブラートは腕ではなく、手首を使いましょう。楽譜やタブ譜では、次ページのSliding Rocks #1の1小節めにあるように、ヴィブラートは波線（〰）で表記されます。

Sliding Rocks #1

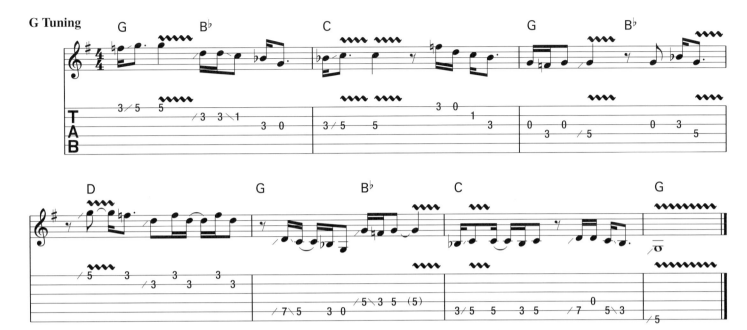

ブルース・スケールを使って、メロディーやブルース・リックをプレイしましょう。次のソロ・ギターは、古い
ブルースの See, See Rider #1 のメロディーをプレイしており、メロディーのフレーズの間にアドリブでブルー
ス・リックのフィルを入れています。

See, See Rider #1

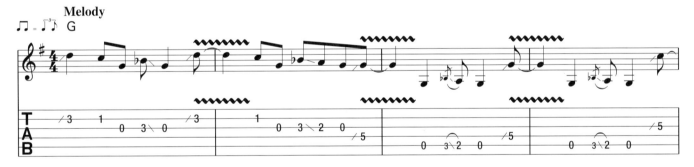

⚜ メジャー・スケールを使って、メロディーやアドリブ・ソロをプレイしましょう。次の Chilly Winds #1 では、メロディーとそれに続くフィルはメジャー・スケールに基づいています。

Chilly Winds #1

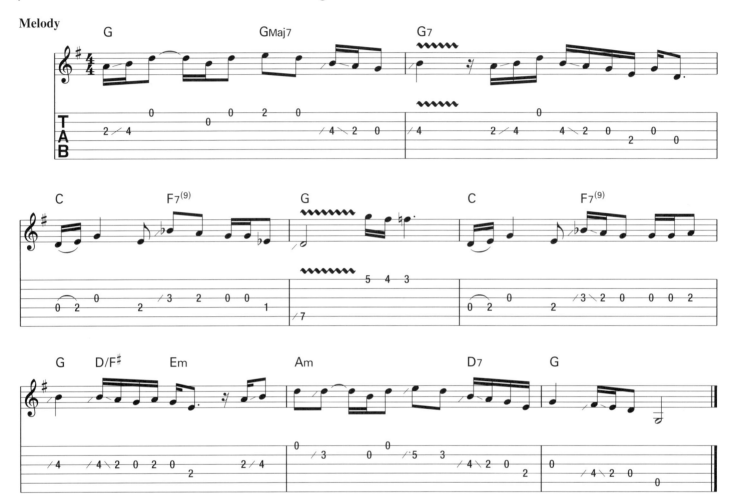

まとめ　ここで学んだこと…

⚜ 第1ポジションで、Gブルース・スケールをプレイする方法

⚜ 第1ポジションで、Gメジャー・スケールをプレイする方法

⚜ 両方のスケールを使って、メロディー、アドリブ・ソロ、リックをプレイする方法

ROADMAP 2

Gチューニング：第12フレット上でのソロ
第12フレット上でプレイするブルース・スケールとメジャー・スケール

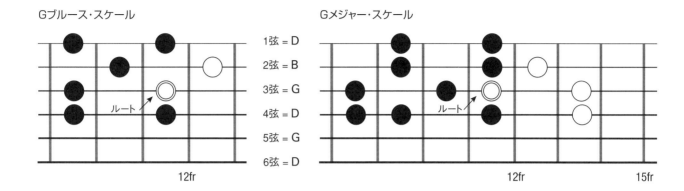

なぜ？

- 上の ROADMAP 2 のスケールは、キー G において、高音域で曲をプレイすることが可能です。

どんなもの？

- 上の 2 つのダイアグラムは、ROADMAP 1 と同様に、G チューニングです。矢印（↗）のある二重丸（◎）は、トニック（ルート）G 音です。

- 高い 4 本の弦だけを使います。ほとんどのプレイヤーは、低い音をプレイする場合、ROADMAP 1 で学んだ第 1 ポジションに移動します。

- 白丸（○）は、隣の弦と同じ音のオルタネート・ノートです。これらは 1 本高い弦の最低音と同じ音です。例えば、4 弦の第 14 フレットと 3 弦の第 9 フレットは、どちらも E 音です。

どのように？

- スケールを G 音からの上行、下行をプレイします。スライド・バーの代わりに、指を使って弦を押さえましょう。

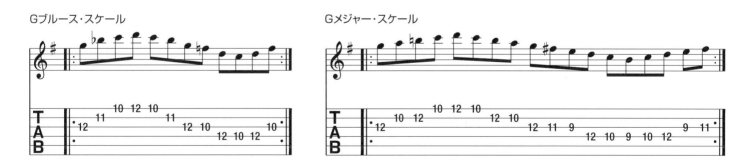

隣の弦の同じ音のオルタネート・ノートを使うと、異なるフィンガリングでプレイすることができます。

やってみよう！

- ● ROADMAP 1のSliding Rocks #1のようなブルージーな曲のアドリブ・ソロに、第12フレット上のブルース・スケールを使いましょう。

7 # Sliding Rocks #2 (at 12th Fret)

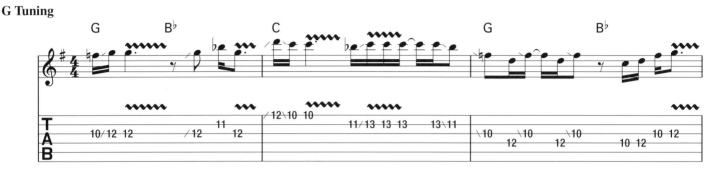

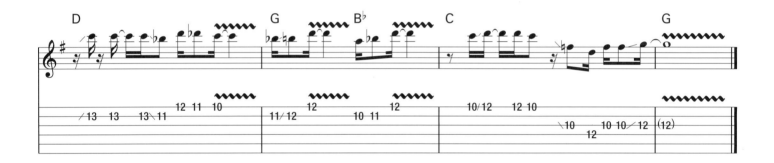

- ● 第12フレット上のブルース・スケールを使って、次のSee, See Rider #2のようなブルージーなメロディーをプレイしましょう。

8 # See, See Rider #2 (at 12th Fret)

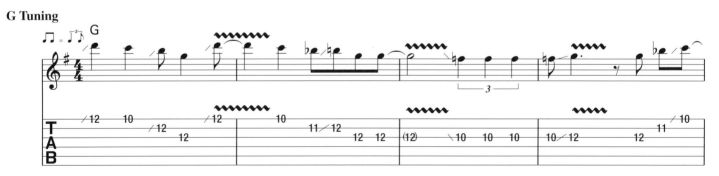

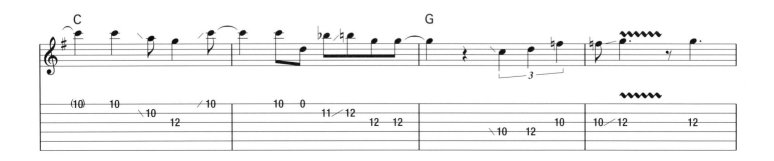

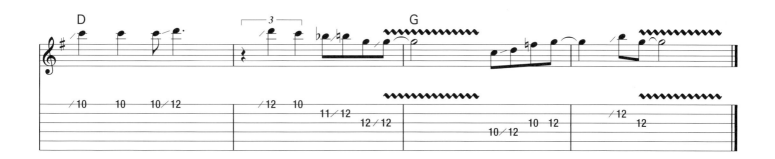

☀ 第12フレット上のメジャー・スケールを使って、メロディーとソロをプレイしましょう。Chilly Winds #2 は、メロディックなソロです。

Chilly Winds #2 (at 12th Fret)

G Tuning

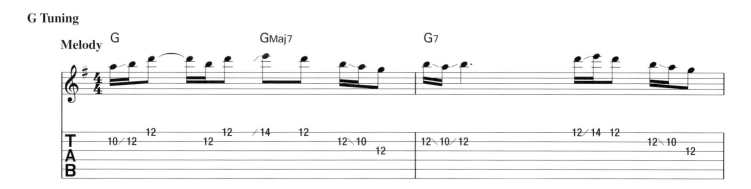

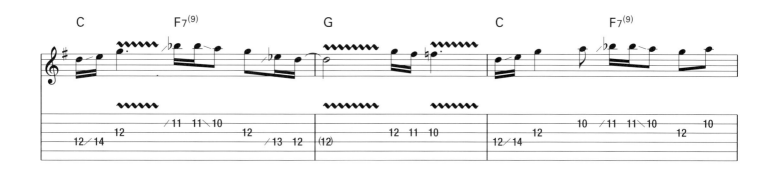

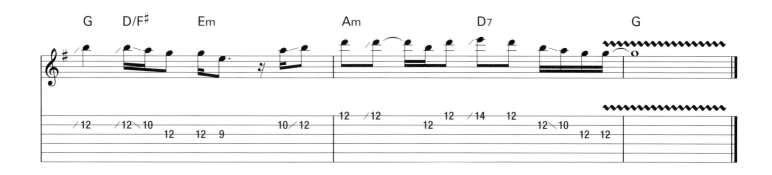

14

● 第12フレット上のブルース・スケールを他の場所に移動して、他のキーでもプレイしましょう。次の *See, See Rider #3* のキーCのヴァージョンのように、第5フレットで同じポジションを使えば、キーCでアドリブ・ソロをプレイできます。

⑩

See, See Rider #3 in C

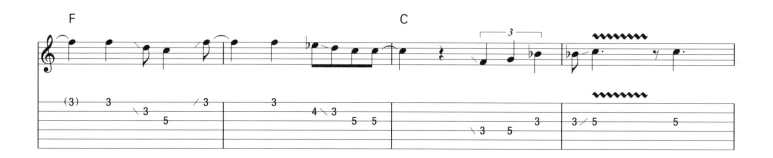

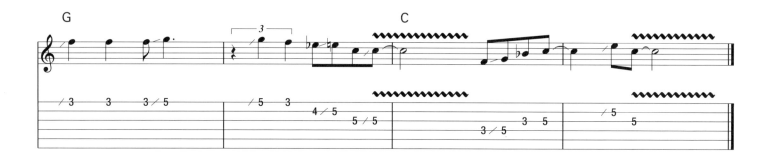

まとめ　ここで学んだこと…

- ● 第12フレット上のGブルース・スケールをプレイする方法

- ● 第12フレット上のGメジャー・スケールをプレイする方法

- ● メロディー、アドリブ・ソロ、リックをプレイするために、両方のスケールを使う方法

- ● オープンGチューニングで、G以外のキーでプレイするためにスケールを使う方法

Gチューニング：バレー・コード
7thコード、マイナー・コードを作る

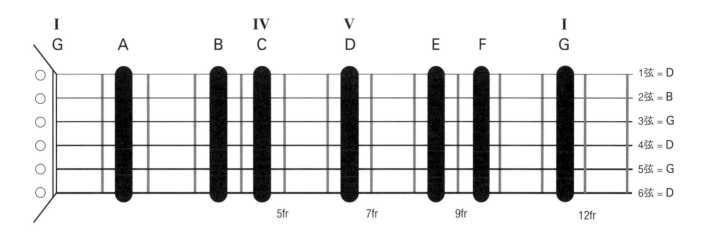

なぜ？

- バレー・コードに基づいた、ソロやバッキングを行います。バレー・コードは、スライド・バーで容易にプレイすることができます。

どんなもの？

- 上のROADMAP 3は、Gチューニングにおけるバレー・コードです。

- フレットボードの上側に示されたメジャー・コードを、スライド・バー、または人差し指でバレーします。6本の弦全部をバレーするだけでなく、2本から5本の弦のみ押さえる場合もあります。

- シャープ（♯）とフラット（♭）のついているメジャー・コードは、記されているコードとコードの間で押さえます。例えば、第6フレットのバレーは、Cの1フレット分上なので、C♯コードになります。また第8フレットのバレーは、Eの1フレット分下なので、E♭コードになります。

- G（I）、C（IV）、D（V）コードは、キーGの主要3コードです。3コードは数え切れないほど多くの曲で使われています。

  - Iコードは、トニック・コード（キーGではG）です。
  - IVコードは、そのキーのメジャー・スケールの4番めの音がそのコードのルートになるので、IVコードと名づけられています（Cは、Gメジャー・スケールの4番めの音）。IVコードは、常にIコードの5フレット分上にあります。
  - Vコードは、そのキーのメジャー・スケールの5番めの音がそのコードのルートになるのでVコードと名づけられています。Vコードは、常にIVコードの2フレット分上（ルートからの7フレット分上）にあります。

- フレットボードは、第12フレットでオクターヴが終わり、次のオクターヴが始まります。第12フレットのGのバレーは、開放弦のGコードと同じ音の組み合わせになり、第14フレットのAコードは、第2フレットのAコードと同じ音の組み合わせになります。他のコードについても同様です。

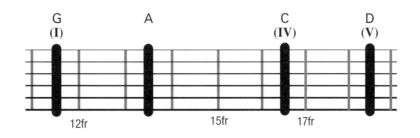

どのように？

◉ 曲のコード・チェンジに沿って適切なバレー・コードをプレイすれば、コードに基づくリックやメロディーをプレイできます。

◉ バレーをプレイする以外に、ROADMAP 2 に示されたメジャー・スケールとブルース・スケールの音もプレイできます。

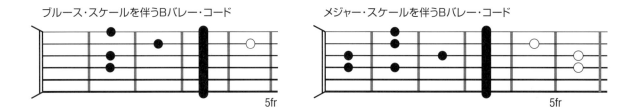

◉ バレーしたフレットの 3 フレット上の 1 弦と 2 弦を押さえると、7th コードができます。

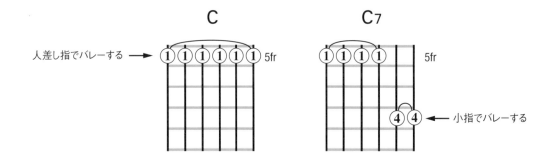

◉ バレーしたフレットの 5 フレット上の 1 弦上の音は、高いルート音になります。例えば、バレー A では、1 弦の 5 フレット上の第 7 フレットは、高い A 音になりす。

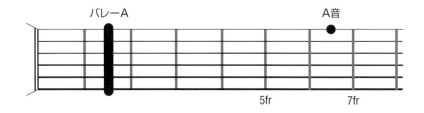

◉ 下のダイアグラムに示された D マイナー・コードで分かるように、バレー・コードに関連させてマイナー・コードを位置づけることができます。

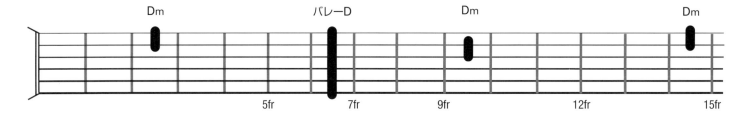

◉ バレー D の 4 フレット下、または 8 フレット上の 1、2 弦上には Dm があります。

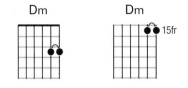

● バレーDの3フレット上の2、3弦上には、Dmがあります。

やってみよう！

● 次のStagolee #1で、バレー・コードを使ってバッキングとメロディーをプレイしましょう。

Stagolee #1

18

The Water is Wideのコードに基づくバッキングをプレイしましょう。この曲はメジャーとマイナーのコード・チェンジが多く含まれています。

The Water is Wide

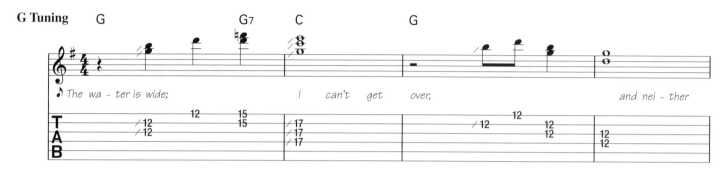

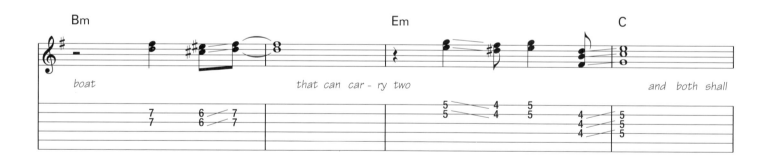

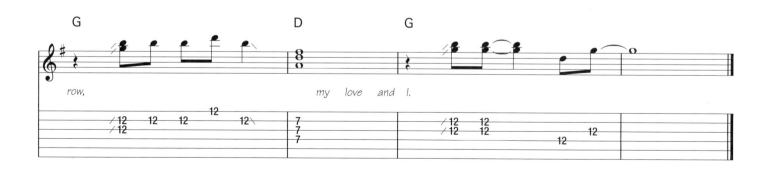

🎵 オープンGチューニングのままでも、今までにプレイした数曲の中のリックやアイディアを使って、**他のキー**でコードに基づくソロをプレイできます。次のキーFのファンク・ロックのソロは、そのよい例です。

Funky Riff

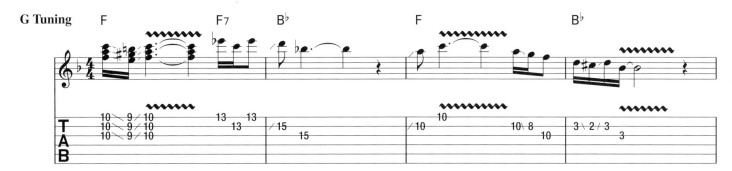

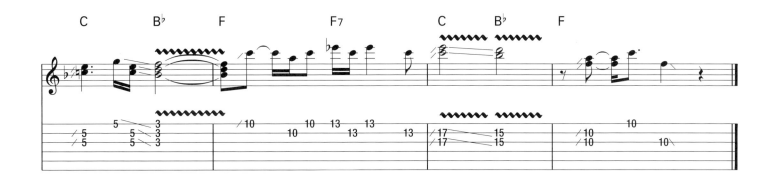

まとめ　ここで学んだこと…

🎵 Gチューニングで、すべてのバレー・メジャー・コードをプレイする方法

🎵 バレー・メジャー・コードを7thコードにする方法

🎵 バレー・メジャー・コードをマイナーにする方法

🎵 Gチューニングで、コードに基づくソロとバッキングをプレイする方法

🎵 Gチューニングで、G以外のキーでコードに基づくソロとバッキングをプレイする方法

Dチューニング：第1ポジション
オープンDチューニング、ブルース・スケールとメジャー・スケール

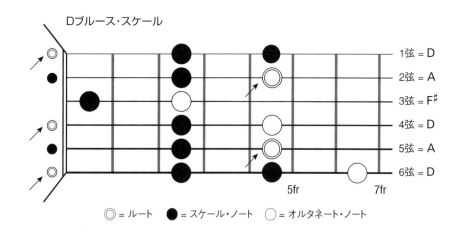

◎ = ルート　● = スケール・ノート　○ = オルタネート・ノート

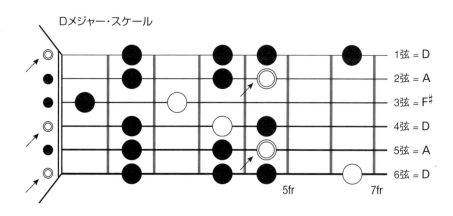

なぜ？

- ❧ Gチューニングのように、Dチューニングは、あらゆる音楽のジャンルでギタリストたちに使われてきた、有名なデルタ・ブルースのチューニングです。上のメジャー・スケールとブルース・スケールは、オープンDの第1ポジションで曲をプレイする際に役立つでしょう。

どんなもの？

- ❧ 上のROADMAP 4の2つのダイアグラムは、どちらもDチューニングです。このチューニングで開放弦（弦を押さえない）をストロークすると、Dメジャー・コードをプレイすることになります。1弦と6弦の開放はルート音です。

- ❧ スケールとは、ラインやコードを組み立てるガイド・ラインです。時には上のスケール・ノート以外の音も使えます。

- ❧ 矢印（↗）のある二重丸（◎）は、トニック（ルート）であるD音を示しています。

- ❧ 白丸（○）は、開放弦、または隣の弦と同じ音のオルタネート・ノートです。これらは、開放弦または1つ上の弦の最低音と同じ音です。例えば、2弦第5フレットと1弦の開放弦は、どちらも同じD音になります。

どのように？

- スタンダード・チューニングから、オープンDにチューニングします。

  - 4弦（D）、5弦（A）は、スタンダード・チューニングと同じです。
  - 6弦（E）を2フレット分下げ、Dにします。すなわち、4弦の開放の音に合わせます。
  - 3弦（G）を1フレット分下げ、F♯にします。すなわち、4弦の第4フレットの音に合わせます。
  - 2弦（B）を2フレット分下げ、Aにします。すなわち、5弦の開放の音に合わせます。
  - 1弦（E）を2フレット分下げ、Dにします。すなわち、4弦の開放の音に合わせます。

- D音から始めて、スケールの上行と下行をプレイします。スライド・バーを使わないで指で弦を押さえます。

Dチューニング

Dブルース・スケール

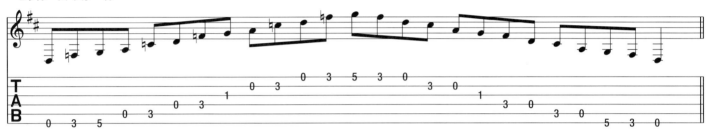

Dメジャー・スケール

- 同じスケールを、異なる弦のオルタネート・ノートを使ってプレイします。

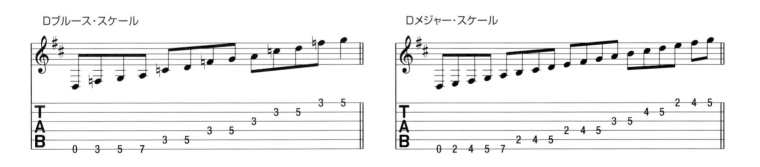

やってみよう！

🎵 次のブルージーなロック・チューン **Detox** の、アドリブ・ソロに D ブルース・スケールを使いましょう。

⑮

Detox

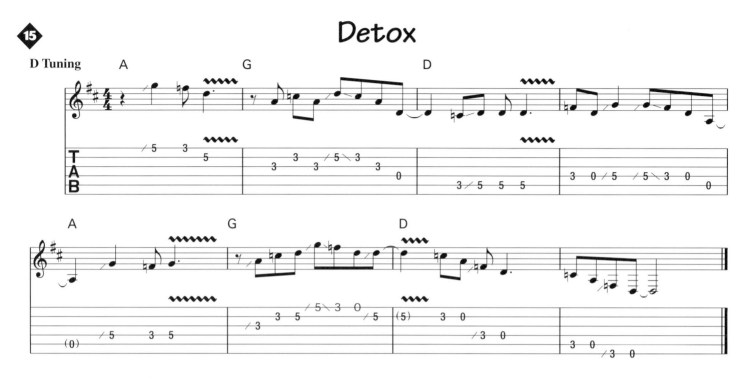

🎵 ブルース・スケールを使って、メロディーとブルース・リックをプレイしましょう。次の **So Long,** では、ヴォーカル・ラインの合間にアドリブ・フィルをプレイし、その後メロディックなソロをプレイしています。

⑯

So Long

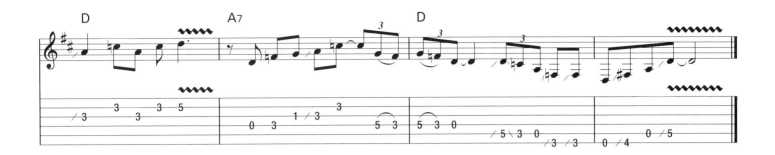

♣ Dメジャー・スケールを使って、メロディー、アドリブ・ソロ、リックをプレイしましょう。次の *Careless Love* #1では、メロディーといくつかのリフをプレイしています。

Careless Love #1

まとめ　ここで学んだこと…

♣ 第1ポジションのDブルース・スケールをプレイする方法

♣ 第1ポジションのDメジャー・スケールをプレイする方法

♣ メロディー、アドリブ・ソロ、リックをプレイするために、両方のスケールを使う方法

Dチューニング：第12フレット上でのソロ

第12フレット上でプレイするブルース・スケールとメジャー・スケール

Dブルース・スケール

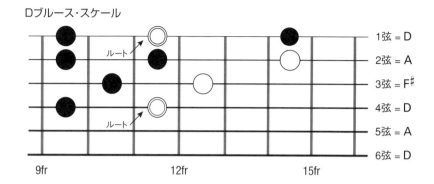

Dメジャー・スケール

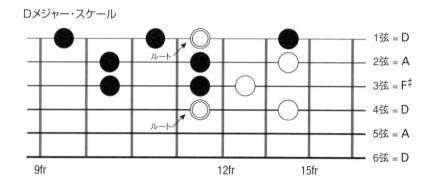

なぜ？

🔹 ROADMAP 5のスケールは、キーDにおいて、高音域でプレイすることが可能です。

どんなもの？

🔹 上のダイアグラムのブルース・スケールとメジャー・スケールは、Dチューニングです。

どのように？

🔹 スケールを4弦のD音からの上行、下行をプレイします。スライド・バーの代わりに、指を使って弦を押さえます。

Dブルース・スケール

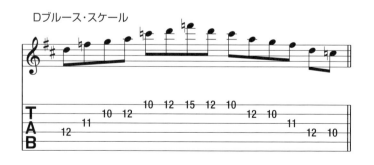

Dメジャー・スケール

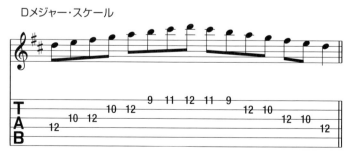

❧ 同じスケールを、異なる弦のオルタネート・ノートを使ってプレイしましょう。

Dブルース・スケール　　　　　　　　　　　　　　　Dメジャー・スケール

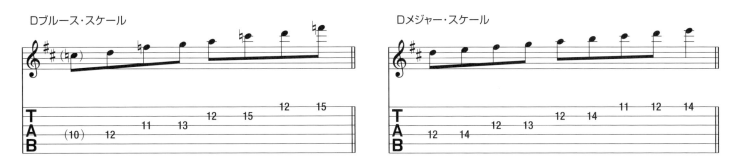

やってみよう！

❧ 第12フレット上のDブルース・スケールを使って、次のブルージーなTwelve O'Clock #1でアドリブ・ソロをプレイしましょう。

Twelve O'Clock #1

D Tuning

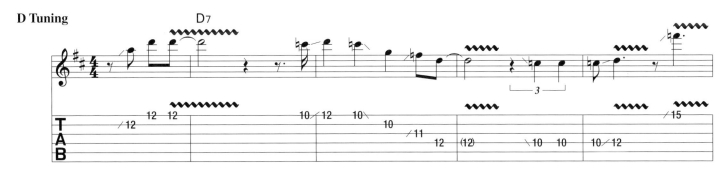

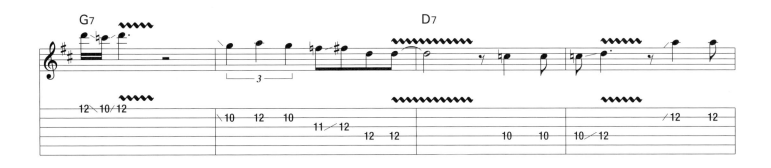

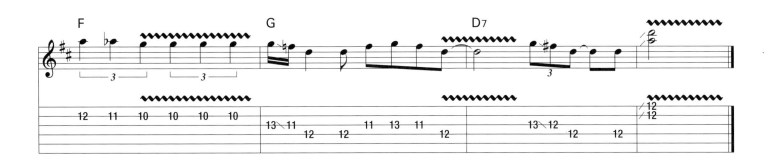

第12フレット上のDブルース・スケールを使って、次のブルージーなSee,See Rider #4のメロディーをプレイしましょう。

See, See Rider #4 in D

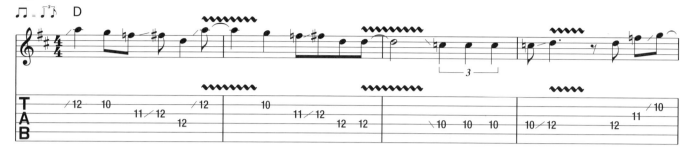

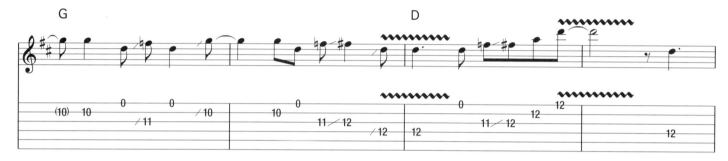

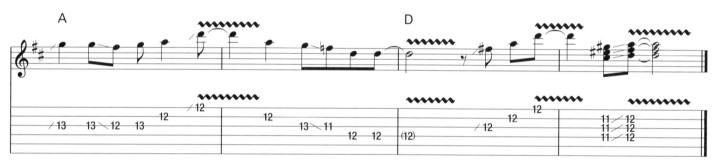

 第12フレット上のDブルース・スケールを使って、次のブルージーなFrankie and Johnnyのメロディーをプレイしましょう。

Frankie and Johnny

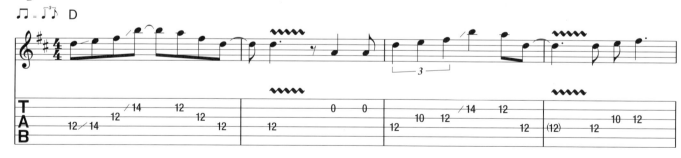

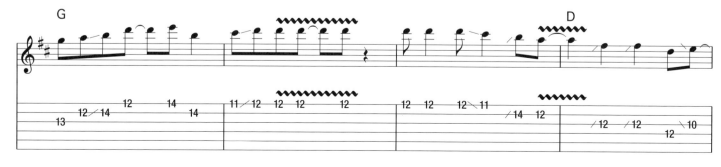

● Dチューニングで D 以外のキーをプレイする場合、スケールのボックス〔フォーム〕を移動させて、フレットボードの他の場所で使いましょう。次の Twelve O' Clock #2 はキー C です。C コードは第10フレットのバレー・コードになるので、アドリブ・ソロは、第12フレット・ブルース・スケールを第10フレットに移動して使用しています。

Twelve O'Clock #2 in C

D Tuning

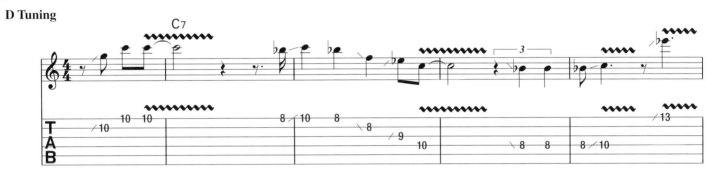

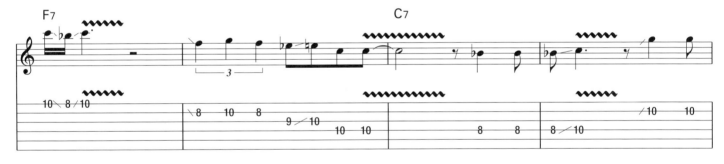

まとめ　ここで学んだこと…

● 第12フレットで D ブルース・スケールをプレイする方法

● 第12フレットで D メジャー・スケールをプレイする方法

● メロディー、アドリブ・ソロ、リックをプレイするために、両方のスケールを使う方法

● オープン D チューニングで、D 以外のキーをプレイするためのスケールの使い方

ROADMAP 6 Dチューニング：バレー・コード
7thコード、マイナー・コードを作る

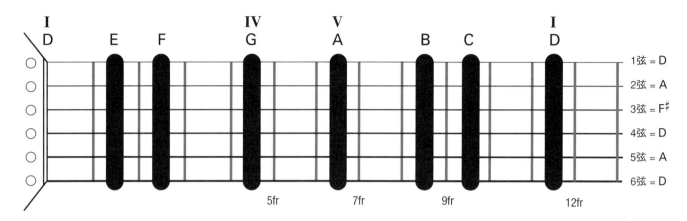

なぜ？

- Gチューニングと同様に、Dチューニングでも、バレー・コードを使ってソロとバッキングを行います。

どんなもの？

- 上のROADMAP 6は、Dチューニングにおけるバレー・コードです。

- フレットボードの上側に示されたメジャー・コードを、スライド・バー、または人差し指でバレーします。

- フレットボードは、第12フレットでオクターヴが終わり、次のオクターヴが始まります。第12フレットのDのバレーは、開放弦のDコードと同じ音の組み合わせと順番になり、第14フレットのEコードは、第2フレットのEコードと同じ音の組み合わせと順番になります。他のコードについても同様です。

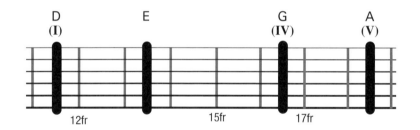

どのように？

- 曲のコード・チェンジに沿って適切なバレー・コードをプレイすれば、コードに基づくリックやメロディーをプレイできます。

- ROADMAP 6のバレーの音と、ブルース・スケールまたはメジャー・スケールの音をプレイします。

ブルース・スケールを伴うFバレー・コード

メジャー・スケールを伴うFバレー・コード

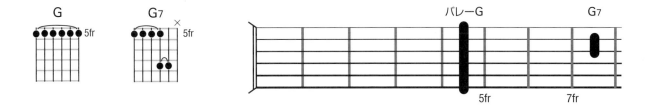

5fr

● バレーしたフレットの**3フレット上**の**2弦**と**3弦**を押さえると、**7th**コードができます。

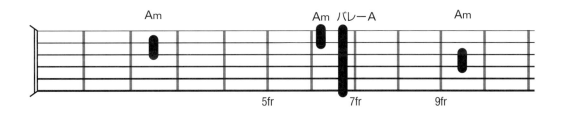

● 下のダイアグラムに示されたAマイナー・コードで分かるように、バレー・コードに関連させてマイナー・コードを位置づけることができます。

● バレーの**1弦**、**2弦**上を押さえることによって、マイナー・コードができます。

● バレーの**4フレット下**の、**2弦**、**3弦**上を押さえることによって、マイナー・コードができます。

● バレーの**3フレット上**の、**3弦**、**4弦**上を押さえることによって、マイナー・コードができます。

30

やってみよう！

❋ 次の Careless Love #2 で、バレー・コードを使ってメロディーをプレイしましょう。メロディー・ラインの間の 7th コードのフィルの使い方に注意しましょう。

22 # Careless Love #2 (with Barred Chords)

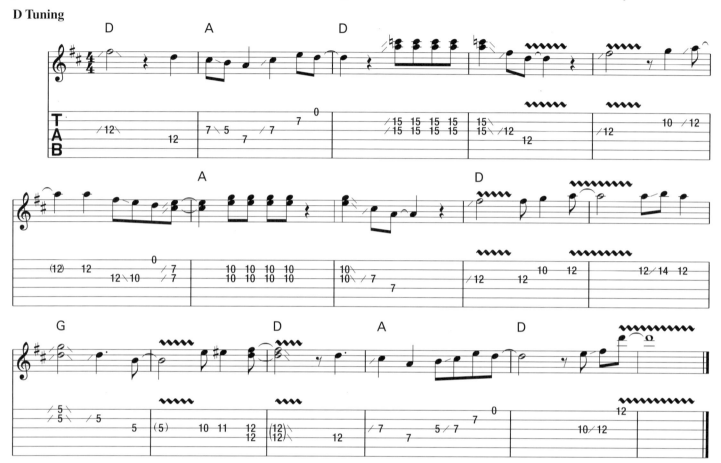

❋ 次の Dimestore は、いくつかのマイナー・コードを含んだ、とても有名なコード進行です。

23 # Dimestore

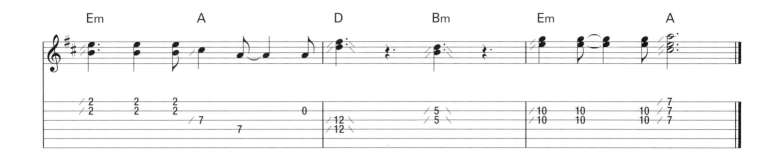

> オープンDのチューニングのままでも、今までプレイした数曲の中のリックやアイディアを使って、他のキー
> でコードに基づくソロをプレイできます。次のキーEの *Stagolee #2* は、そのよい例です。

Stagolee #2 in E

D Tuning

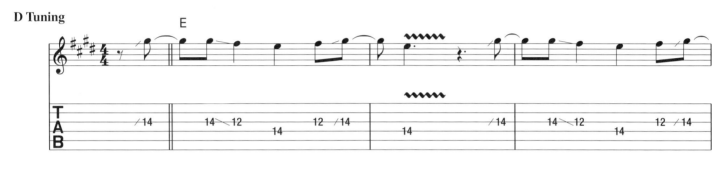

まとめ　ここで学んだこと…

> Dチューニングで、すべてのバレー・メジャー・コードをプレイする方法

> バレー・メジャー・コードを7thコードにする方法

> バレー・メジャー・コードをマイナーにする方法

> Dチューニングで、コードに基づくソロとバッキングをプレイする方法

> Dチューニングで、D以外のキーでコードに基づくソロとバッキングをプレイする方法

ROADMAP 7 GからA、DからEへのチューニングの転換
オープン・AチューニングとオープンEチューニングによるソロ

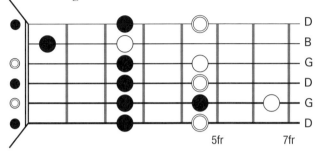

G Tuning／Gブルース・スケール

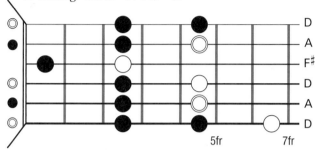

D Tuning／Dブルース・スケール

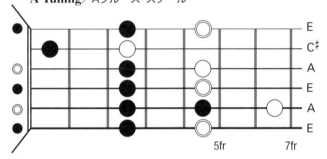

A Tuning／Aブルース・スケール

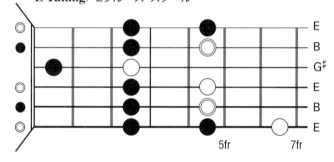

E Tuning／Eブルース・スケール

なぜ？

- オープンAとオープンEは、スライド・ギタリストたちの間で一般的に使われているチューニングです。オープンGやオープンDとの関係を理解すれば、それらを自然にプレイすることができます。

どんなもの？

- オープンAチューニングはオープンGと同じですが、すべての弦を2フレット分高くチューニングします。*Robert Johnson*は、多くの彼のスライドの曲をこのチューニングでプレイしました。

- Aチューニングでは、すべてのGチューニングのリック、スケール、コード、そしてソロをプレイできます。

- オープンEはオープンDと同じですが、すべての弦を2フレット分高くチューニングします。これは*Duane Allman*が好んだスライド・チューニングです。

- Eチューニングでは、すべてのDチューニングのリック、スケール、コード、そしてソロをプレイできます。

どのように？

- GチューニングからAチューニングに変更する場合は、すべての音を2フレット分高くチューニングします。

- スタンダード・チューニングからオープンEチューニングに変更する場合は、次のように行います。

- 6弦（E）、5弦（A）、1弦（E）は、スタンダード・チューニングと同じです。
- 4弦（D）を2フレット分上げ、Eにチューニングします。すなわち、6弦の開放に合わせます。
- 3弦（G）を2フレット分上げ、Aにチューニングします。すなわち、5弦の開放に合わせます。
- 2弦（B）を2フレット分上げ、C#にチューニングします。すなわち、3弦の第4フレットに合わせます。

⚫ Dチューニングから E チューニングに変更する場合は、すべての音を 2 フレット分高くチューニングします。

⚫ スタンダード・チューニングからオープン E チューニングに変更する場合は、次のように行います。

　　◉ 6弦(E)、2弦(B)、1弦(E)は、スタンダード・チューニングと同じです。

　　◉ 5弦(A)を 2 フレット分上げ、Bにチューニングします。すなわち、2 弦の開放に合わせます。

　　◉ 4弦(D)を 2 フレット分上げ、E にチューニングします。すなわち、6 弦の開放に合わせます。

　　◉ 3弦(G)を 1 フレット分上げ、G♯ にチューニングします。すなわち、4 弦の第 4 フレットに合わせます

⚫ Aチューニングで、オープン G スタイルのソロやリックをプレイすれば、それはキー A になります。そして音名とコード名は、2 フレット分上がったものになります。例えば、G ブルース・スケールは、A ブルース・スケールになります。第 5 フレットのバレーは、Cの代わりに D コードになります。

⚫ Eチューニングでオープン D スタイルのソロやリックをプレイする場合も同様です。キーが E になるので、音名とコード・シンボルが 2 フレット分上がったものになります。

やってみよう！

⚫ Dのスケールとコードを使い、E チューニングでソロをプレイしましょう。次のロック・ソロは、第 1 ポジションと第12フレットのソロと、コードに基づくリックです。

Rockin' E

E Tuning

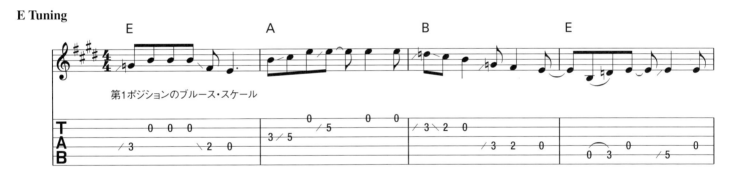

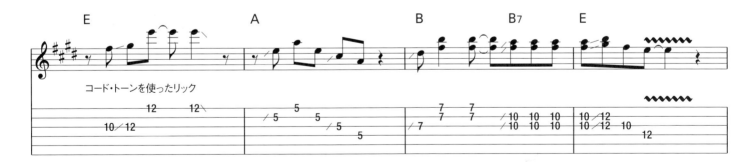

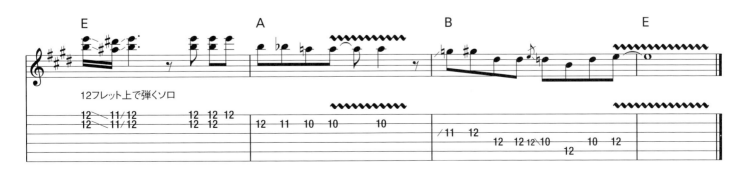

❦ Gのスケールとコードを使って、Aチューニングでソロをプレイしましょう。次の12小節ブルースでは、ROADMAP 1，2，3の、すべてのGチューニングにおけるソロのアイディアが使われています。

28 A Solo

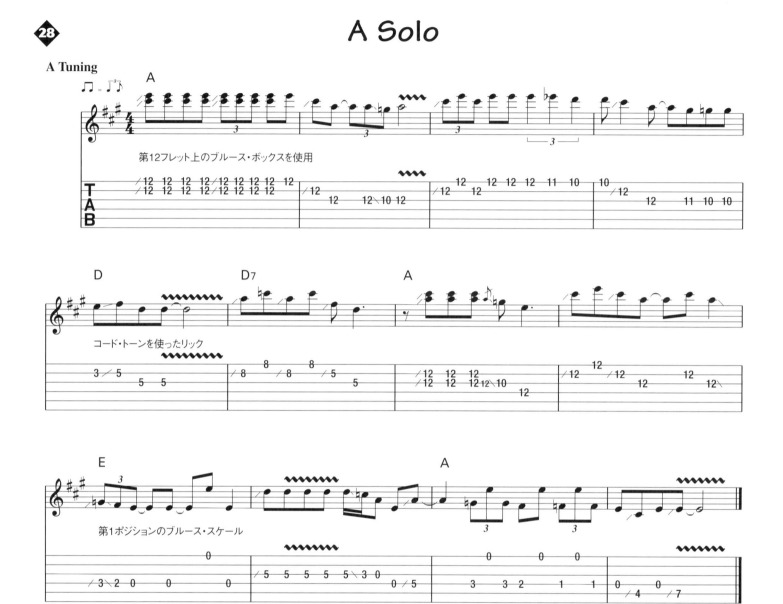

まとめ　ここで学んだこと…

❦ オープンAチューニングでプレイする方法

❦ オープンEチューニングでプレイする方法

GからDへの転換
オープンGとオープンDを組み合わせたソロやリックのプレイ

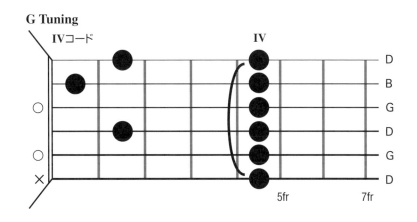

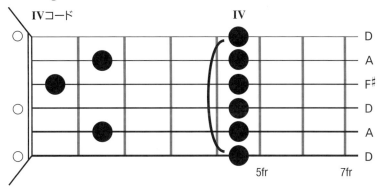

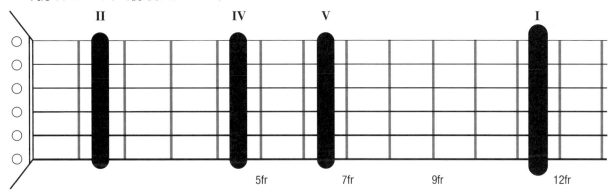

なぜ?

◉ GチューニングとDチューニングの関係は、それぞれのリックやソロを、互いに交換して使うことが可能です。

どんなもの？

- どちらのチューニングでも、バレー・コードはフレットボード上で同じ音程関係をもっています。どちらのチューニングも、Iコードは開放と第12フレット、IVコードは第5フレット、Vコードは第7フレット…（第2フレットはIIコード、第4フレットはIIIコード）、というようになっています。

- Dチューニングでは、隣の低い弦に移動してGのリック、スケール、ソロ、コードを使うことができます。1弦と2弦でプレイするGチューニングのリックは、Dチューニングの2弦と3弦でプレイできます。それは、Gチューニングの5本弦（1，2，3，4，5弦）の弦同士の音程は、Dチューニングの5本弦（2，3，4，5，6弦）の弦同士の音程と一致しているからです。

IVコードを隣の弦へ移動する

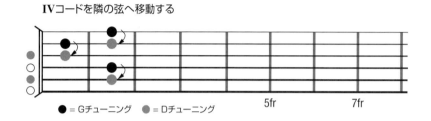

● = Gチューニング　　● = Dチューニング

- 同じように、多くのDチューニングのリック、スケール、ソロ、そしてコードは、弦を1本分下に移動することによって、Gチューニングで使うことができます。1弦を使わないDチューニングのリックは、すべてこの転換に適応しています。

どのように？

- Dチューニングの場合、2弦（A）を1弦と仮定し、本当の1弦（D）はないものとしてGリックをプレイします。次の譜例は、GチューニングをDチューニングに転換したターンアラウンドです。コードもリック同様、弦が1本分上がっていることに注意しましょう。ターンアラウンドとは、ブルースのコーラスの最後、8小節め、または12小節めのリックです。

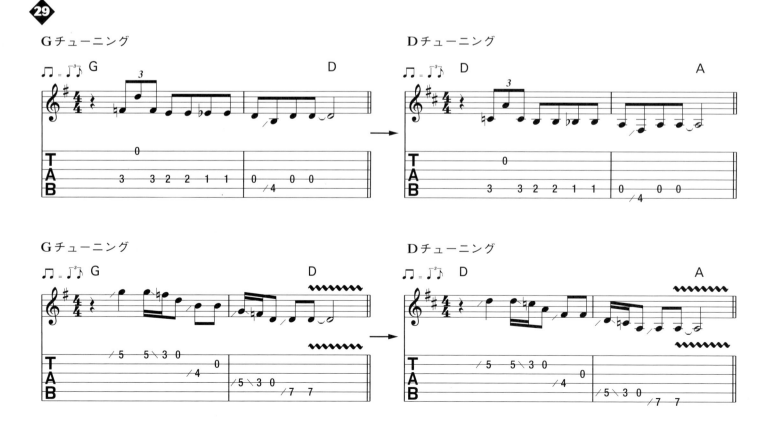

● Gチューニングの場合、弦を1本上に移動してDチューニング・リックをプレイします。例えば、次の低音弦を使ったブギー・リックのように、6弦と5弦のDチューニング・リックは、Gチューニングの5弦と4弦に移してプレイします。

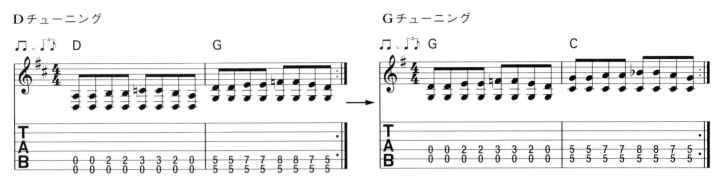

やってみよう！

● Dチューニングでプレイする次の Chilly Winds #3 は、ROADMAP 1 の Chilly Winds #1 の Gチューニング・リックを *移調したものです。ここではまったく同じソロを、1本低い弦に移動してプレイします。

Chilly Winds #3 in D

D Tuning

* transpose：楽曲のキーを変えること。本来のメロディーやコードを、音程関係はそのままにして別のキーに移すので、トニックは変わるが、トニックからの各音程は変わらない。コードもルートが変化するだけで、その進行や構成音の音程は変わらない。

● Gチューニングでプレイする次の Careless Love #3 は、ROADMAP 6 の D チューニング・ヴァージョンから移調したものです。Dチューニングのアレンジから弦を 1 本下（高い方）に移動し、そして G チューニングに適するように 2 音、または 3 音を変えてあります。

Careless Love #3 in G

まとめ　ここで学んだこと…

● Gチューニング・リック、ソロ、コードをDチューニングに転換する方法

● Dチューニング・リック、ソロ、コードをGチューニングに転換する方法

ROADMAP 9

スタンダード・チューニング：キーE
ブルース・ボックスを使ったリックのプレイ

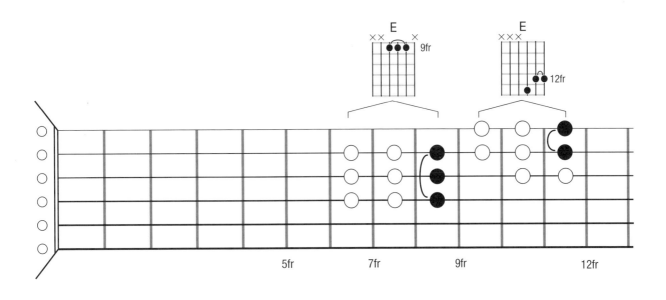

なぜ？

- *Muddy Waters*，*Robert Nighthawk*，*Earl Hooker* など、多くのブルース・スライドの達人たちが、キーEのスタンダード・チューニング・スライドを有名にしました。キーEは、6弦のEと5弦のAのベース弦を使えるため、スタンダード・チューニングにおけるスライドにとって便利なキーといえます。スタンダード・チューニングで演奏することは、演奏中のミュージシャンがスライドをプレイするためにチューニングを変え、スライドを使わない曲では元に戻すという煩わしさから解放してくれます。

どんなもの？

- 上の ROADMAP 9 の黒丸（●）は、Eコードの一部分です。曲のEコードをプレイする所で、これらの音をプレイできます。

- キーEのブルージーな曲では、すべてのコード・チェンジをとおして、これらの音をプレイできます。

- 上のフレットボード上の白丸（○）は、パッシング・ノート（経過音）です。これらは黒丸と一緒に、小さな*ブルース・ボックス、またはスケール・ポジションを形創ります。

どのように？

- 上のフレットボードの黒丸は、下に示したEコードのシェープと関連があります。

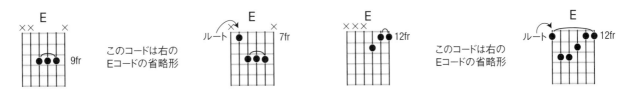

- Eコードの間に、パッシング・ノートで止まる（リックが終わる）ことは、めったにありません。しかし、いくつかのパッシング・ノートは、AやBコードでのフレーズの終わりの音として使うことができます。試してみましょう。

* スケール・パターンを1つのグループとして考える方法。詳しくは、本シリーズの**ブルース・ギターを弾こう**を参照。

◈ 次は、ROADMAP 9 のブルース・ボックスに基づく、いくつかのEリックです。

◈ 変化をつけるために、AとBコードに合わせてEブルース・ボックスを作り変えることができます。

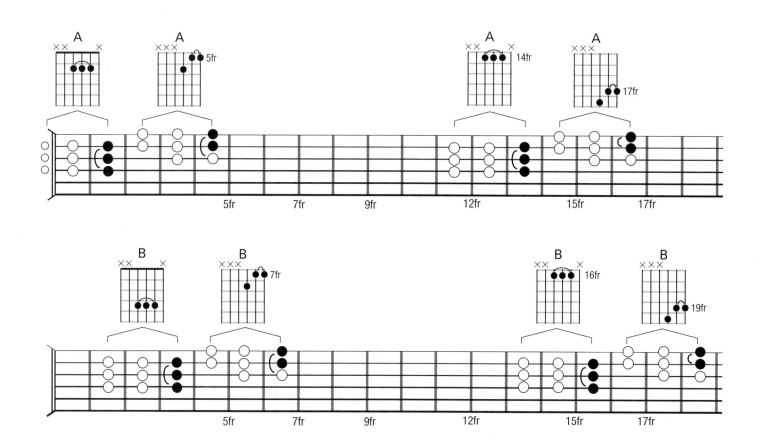

◈ 次は、上のブルース・ボックスに基づく、いくつかのAとBコードのリックです。

やってみよう！

◈ Ｅブルース・ボックスだけを使って、次の８小節ブルースをプレイしましょう。

8-Bar Blues #1

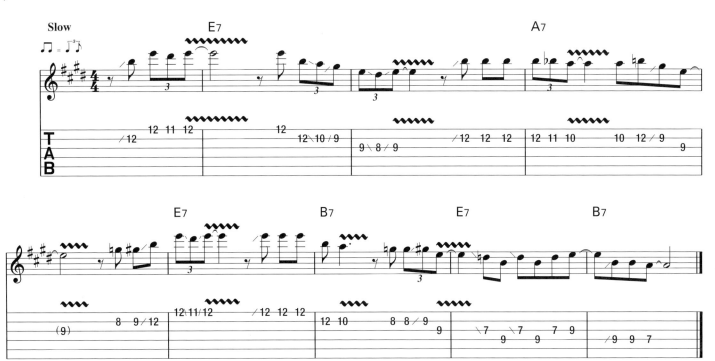

◈ Ｅ，Ａ，Ｂブルース・ボックスを使って、同じ８小節ブルースをプレイしましょう。

8-Bar Blues #2 (with Three Blues Boxes)

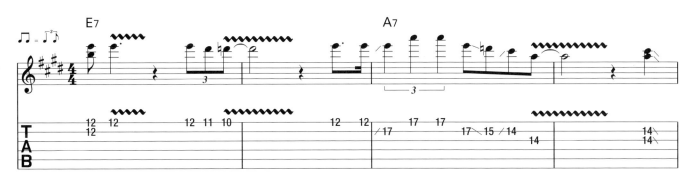

◉ 次の12小節ブルースは、典型的な *Muddy Waters* 風に、すべてのブルース・ボックスを組み合わせています。

Muddy Blues

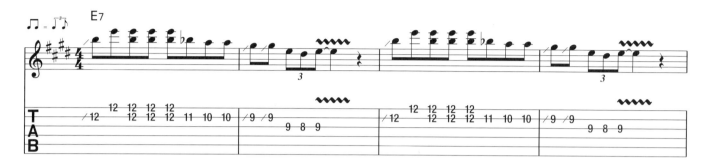

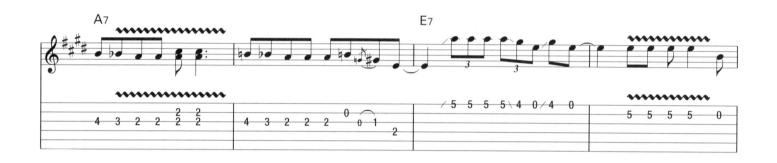

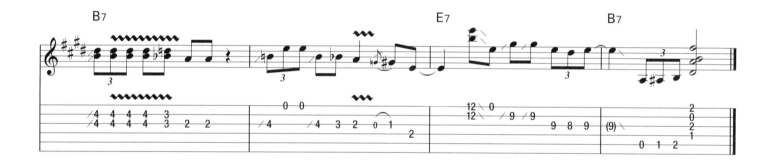

まとめ　ここで学んだこと…

◉ キーEのブルージーな曲を、スタンダード・チューニングでスライドをプレイする方法

◉ スタンダード・チューニングのスライドに便利ないくつかのブルース・ボックス

スタンダード・チューニング：すべてのキー
すべてのキーでブルース・ボックスを使ったリックのプレイ

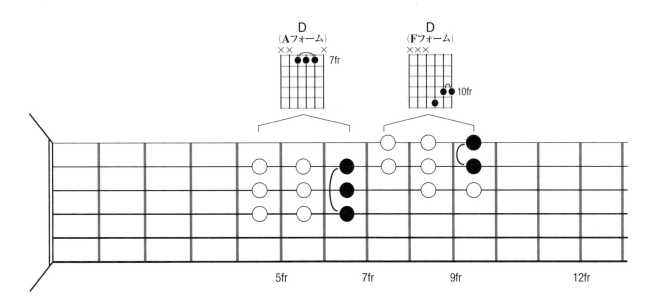

なぜ？

- ROADMAP 9を変化させることで、スタンダード・チューニングで、すべてのキーでスライドをプレイすることができます。この方法により、チューニングを変更する必要がなくなります。

どんなもの？

- 上のROADMAP 10の黒丸（●）は、Dコードの一部分です。

- 白丸（○）はパッシング・ノートです。黒丸と組み合わせることで、キーDのブルース・ボックスになります。

- キーDのブルージーな曲では、すべてのコード・チェンジをとおして、これらのブルース・ボックスをプレイできます。

どのように？

- 下のダイアグラムの黒丸は、上のDコードのシェープと関連があります。コード・シェープは、AフォームとFフォームと表記します。

● 部分的な**A**フォームと**F**フォームからブルース・ボックスを作ることで、どのコードにも同様のロードマップを創ることができます。例えば、下のダイアグラムは**C**コードのためのロードマップです。

Cブルース・ボックス

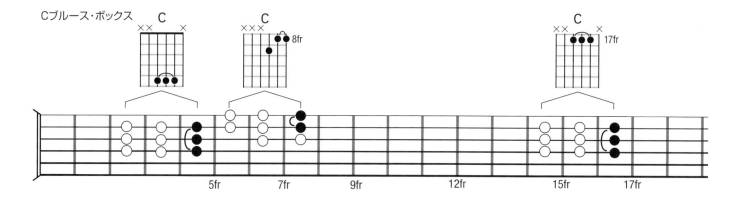

やってみよう！

● ROADMAP 9 の *8-Bar Blues #1*（p.41）を、**キーC**に**移調**してプレイしましょう。

 38

8-Bar Blues #3 in C

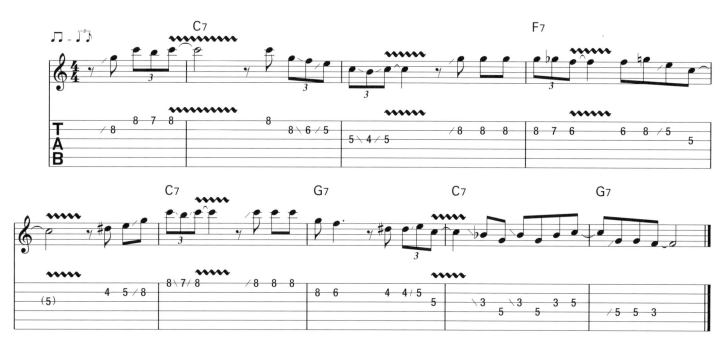

● ROADMAP 9 の *8-Bar Blues #2* を、**キーD**でプレイしましょう。**ROADMAP 10** は、**D**ブルース・ボックスを表しています。次は、**G**コードと**A**コードとのロードマップです。

Gブルース・ボックス

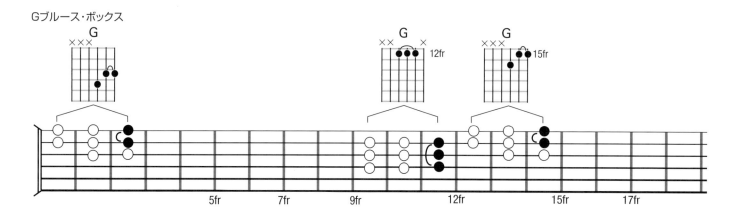

Aブルース・ボックス

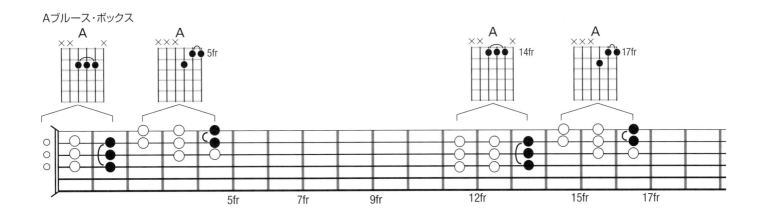

8-Bar Blues #4 (Key of D)

39

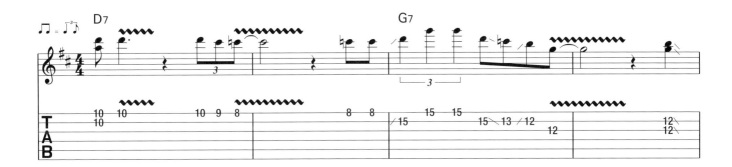

まとめ　ここで学んだこと…

- ROADMAP 9のポジションを他のキーに移調する方法

- スタンダード・チューニングを使って、すべてのキーでスライドをプレイする方法

スタンダード・チューニング：ブルース・ボックス

ブルース・ボックスを使ったベンドとスライド・プレイ

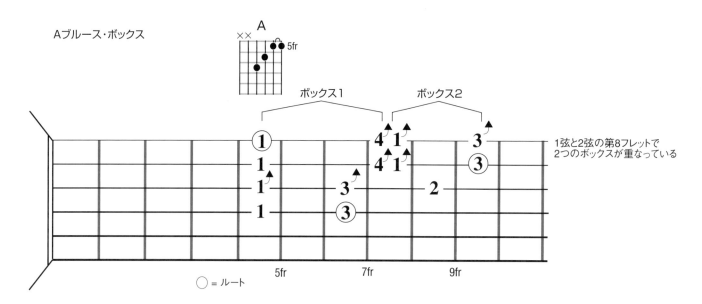

Aブルース・ボックス

○ = ルート

なぜ？

- スライドは、*B.B. King*，*Eric Clapton*のようなギタリストや、ほとんどのコンテンポラリー・ブルース、ロックのプレイヤーたちが使う基本的なブルース・ボックスを拡張することができます。

どんなもの？

- 上のROADMAP 11は、キーAの最初の2つのブルース・ボックスを示しています。数字はフィンガリングを示しています。

- 両方のボックスの音は、ブルージーな曲のコード・チェンジをとおしてプレイできます。

- 矢印（4↗, 1↗）のついた音は、ベンドが可能です。

- スライドでブルース・ボックスを拡張するプレイヤーは、フレットを押さえた音とスライドした音を交互に使い分けてプレイしています。ベンド可能な音は、特にスライドに適しています。

どのように？

- 適切なFフォームをフィンガリングすることによって、ブルース・ボックス 1の正しいポジションに左手を置くことができます。例えば、Aブルース・ボックスなら、第5フレットでFフォームをプレイすればAコードになります。

A

- ブルース・ボックスのどの音にも、スライド・アップすることができます。

🎵 ベンド記号のついた弦をベンドする代わりに、1フレットまたは2フレット分スライド・アップすることができます。

40

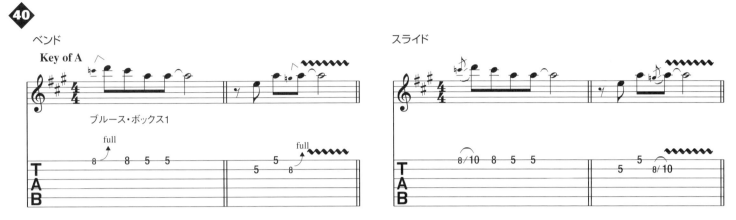

🎵 次は、キーAのいくつかの典型的ブルース・ボックス・リックです。スライドで拡張されています。

41

やってみよう！

🎵 キーAのR&Bの曲で、ブルース・ボックス1と2のスライド・リックを練習しましょう。

42

R&B in A

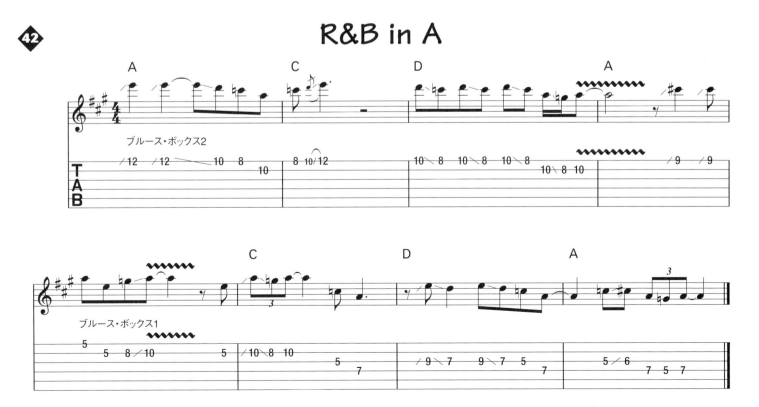

● 下のキーCのBlues Shuffleでは、ブルース・ボックス1のポジションを得るために、まず第8フレットでFフォームをプレイします。

Blues Shuffle

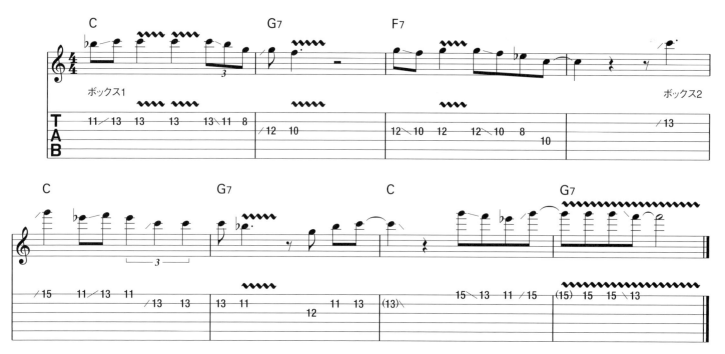

まとめ　ここで学んだこと…

● すべてのキーで、ブルージーな曲のソロに、ブルース・ボックス1と2を使う方法

● リックをスライドで拡張する方法

カポを使ってロードマップを見直す
カポを使ってすべてのキーでプレイする

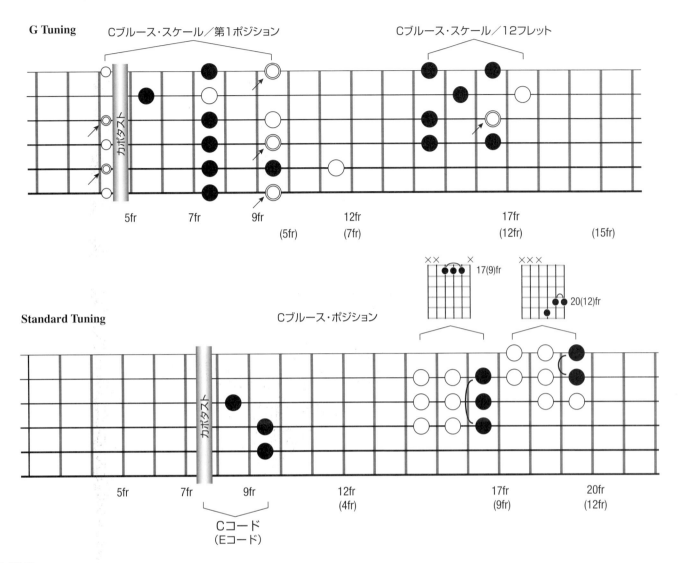

なぜ？

🔸 カポを使うことによって、どのキーでも楽にプレイすることができます。

　◎ *Robert Johnson* は高い声の持ち主で、キーBで歌うことを好んでいたので、彼は、よくオープンAチューニングで、カポを第2フレットにつけてプレイしています。

　◎ *Muddy Waters* は、**ROADMAP 9** のスタンダード・チューニングのEのリックを好んでいました。曲によってはキーEでは低すぎたため、自分のキーに合わせて、第8フレットにカポをつけて、Eスライド・リックをプレイしました。

　◎ 他の人たちと演奏する場合、ヴォーカル、または楽器の音域の都合上、さまざまなキー（E♭，F，C，C♯など）でプレイすることを要求される可能性があります。カポを使えば、自分が好むスライド・プレイのサウンドやスタイルに応じて、オープン・チューニングでもスタンダード・チューニングでも選ぶことができます。

　◎ チューニングを変えれば、ムードも変わります。暗いサウンドを望むならオープンGに、より暖かいサウンドが欲しければオープンDなどのように、どの曲でも複数のチューニング方法でプレイできるようにするとよいでしょう。

どんなもの？

🔸 上の2つのダイアグラムは、キーCでプレイする2とおりの方法を示しています。

　◎ Gチューニングでは、第5フレットにカポをつけます。

　◎ スタンダード・チューニングでは、Eのリックをプレイするために第8フレットにカポをつけます。

- それぞれのダイアグラムは、キーCでスライドをするためのポジション、またはボックスを表しています。カッコ内のフレット番号は、カポをつけたフレットから数えたフレットを表しています。前ページのGチューニングのロードマップでは、（5fr）という表記は、実際には第10フレットとなります。

- どちらのダイアグラムも、**他のロードマップをカポによって、数フレット上に移動**したものです。例えば、Gチューニングのダイアグラムは、ROADMAP 1と2を組み合わせて、5フレット高くしたものです。また、スタンダード・チューニングは、ROADMAP 9を8フレット高くしたものです。

どのように？

- カポを使うために、**カポをナットと仮定して**、すでに知っている**ロードマップを見直し**ます。例えば、GまたはDのオープン・チューニングでは、IVコードはナットからの5フレット上であり、Vコードはナットから7フレット上になります。キーAでプレイするために、もしGチューニングでカポをつけて2フレット上げる場合、IVコード（D）はカポから5フレット上で、実際は第7フレットになります。Vコード（E）はカポから7フレット上で、実際は第9フレットになります。

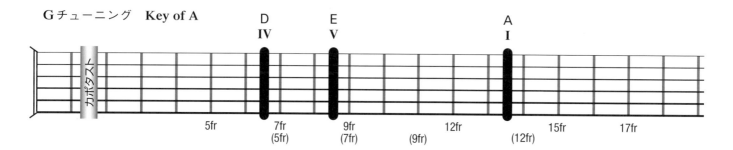

- **前ページのGチューニング・ロードマップを使って、キーCでプレイします。**

  - 第5フレットのバレーがCコードなので、カポを第5フレットにつけます。
  - 第5フレットがナットであると仮定します。開放弦をストロークすれば、それはCコードになります。
  - カポを基準に考えると、第6フレットが第1フレットとなります。
  - Gのリックやソロをプレイすれば、それらはすべてCリックになります。

- **前ページのスタンダード・チューニングのロードマップを使って、スタンダード・チューニングでキーCでプレイします。**

  - 第8フレットのバレーEコードをCコードにするために、カポを第8フレットにつけます。
  - 第8フレットがナットであると仮定します。第1ポジションのEコードをストロークすれば、それはCコードになります。
  - ポジションを通常より8フレット分高くして、スタンダード・チューニングを使います。例えば、第12フレット・ポジションは、実際は第20フレットになります。

- **カポを使う時も、コードの実際の名前を使います。**

  - スタンダード・チューニングで第8フレットにカポをつけると、EコードはCコードと呼びます。それは、第8フレットのバレーEは、カポをつけてもつけなくても、実際にはCコードだからです。
  - キーBでプレイするために、Gチューニングで第4フレットにカポをつけると、開放弦をストロークした時、それはBコードになります。それは、Gチューニングで第4フレットのバレーは、Bコードだからです。IVコードであるEは、カポから5フレット分上で、実際の第9フレットになります。

やってみよう！

- Gチューニングで、すでに知っている曲をプレイするためにカポを使いましょう。Gチューニングの曲を、カポで他のキーに上げてプレイしてみましょう。

G Tuning

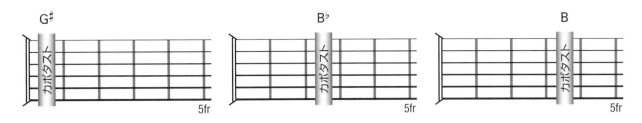

🌀 同じことをDチューニングでも行いましょう。

D Tuning

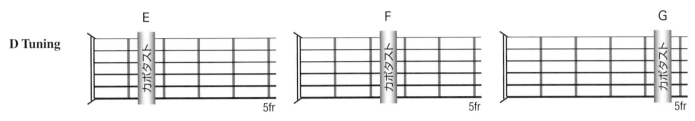

🌀 ROADMAP 9のEリックを使って、同じことをスタンダード・チューニングでも行いましょう。

Standard Tuning

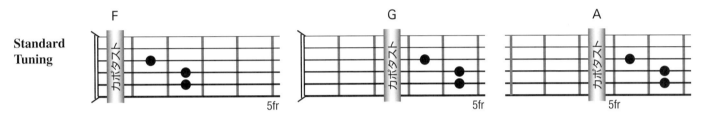

🌀 下のチャートは、すべてのキーのためのカポのたくさんの使い方を一覧にしたものです。1列めは、キーAでプレイする5とおりの方法を表しています。例えば、Aのキーをプレイする場合、Gチューニングでは、カポを2フレットにつけ、Aチューニングの場合は、カポをつけません。その他も同様に行います。

キー	オープンG	オープンA	オープンD	オープンE	スタンダード	その他
A	2カポ	カポなし	7カポ	5カポ	5カポ	―
B♭	3カポ	1カポ	8カポ	6カポ	6カポ	―
B	4カポ	2カポ	―	7カポ	7カポ	―
C	5カポ	3カポ	―	8カポ	8カポ	Cチューニング（Dチューニングの2フレット下）
D♭/C♯	6カポ	4カポ	―	―	―	D♭チューニング（Dチューニングの1フレット下）
D	7カポ	5カポ	カポなし	―	―	―
E♭/D♯	8カポ	6カポ	1カポ	―	―	E♭チューニング（Dチューニングの1フレット上）
E	―	7カポ	2カポ	カポなし	カポなし	―
F	―	8カポ	3カポ	1カポ	1カポ	Fチューニング（Gチューニングの2フレット下）
G♭/F♯	―	―	4カポ	2カポ	2カポ	G♭チューニング（Gチューニングの1フレット下）
G	カポなし	―	5カポ	3カポ	3カポ	―
A♭/G♯	1カポ	―	6カポ	4カポ	4カポ	A♭チューニング（Gチューニングの1フレット上）

まとめ　ここで学んだこと…

🌀 Gチューニングで、たくさんのキーでプレイするためにカポを使う方法

🌀 Dチューニングで、たくさんのキーでプレイするためにカポを使う方法

🌀 スタンダード・チューニングで、たくさんのキーでプレイするためにカポを使う方法

練習トラックの使い方

次の5つの練習トラックは、リード・ギターの演奏は、バンドの音とは分かれて、ステレオの片方のチャンネルに収録されています。つまり、リード・ギター・トラックのヴォリュームをしぼって、バンドのバッキングだけを聴きながら、ソロ・テクニックの練習ができるようになっています。もちろんリード・ギター・トラックを聴いて真似することもできます。

以下は、各トラックのソロのアイディアです。

 R&B Tune in G

この曲は、次の8小節のコード進行を3回くり返しています。

リード・ギターはオープンGチューニングで、1回めは第1ポジションのGリックをプレイしています。次の8小節は、第12フレットでプレイしています。最後（3回め）はコードに基づくソロです。

play 3 times

```
||: G  |  ✗  | B♭  |  ✗  | C  | C  F  | G  |  ✗  :||
```

 Slow 8-Bar Blues in D

再び、このスタンダードなコード進行を3回くり返します。Dチューニングのリード・ギターは、1回めは、第1ポジション・リック、2回めは、第12フレット・リック、そして3回めは、コードに基づくリックをプレイしています。

play 3 times

```
||: D7(9)  |  ✗  | G7(9)  |  ✗  | D7(9)  | A7  | D7(9)  | A7  :||
```

 12-Bar Blues Sguffle in E

3回くり返します。リード・ギターは、**ROADMAP 9**のスタンダード・チューニングで、Muddy Waters スタイルのリックをプレイしています。（p.42の Muddy Blues を参照）

 Country/Rock Tune in C

この8小節のコード進行を3回くり返します。

リード・ギターはスタンダード・チューニングで、**ROADMAP 10**のコンセプトを使っています。1回めは、ほとんどをCポジションでプレイし、2回めと3回めは、曲のコード・チェンジに沿ってポジションを変えています。

play 3 times

```
||: C  |  ✗  | D  |  ✗  | F  |  ✗  | C  | G  :||
```

 Rock Tune in G

リード・ギターは、スタンダード・チューニングで、**ROADMAP 11**のGブルース・ボックスのスライド・リックをプレイします。ブリッジ（サビ）では、ギターは曲のコード・チェンジに沿って、**ROADMAP 10**で取り上げたポジションに切り換えています。次は、そのコード進行です。

```
||: G  |  ✗  | F  |  ✗  | C/E  |  ✗  | E♭  | D  :||
```

Bridge

```
||: C  |  ✗  |  ✗  |  ✗  | E♭  |  ✗  | F  |  ✗  :||
```

ギターの記譜

ギターの記譜には、1. 5線譜、2. タブ譜、3. スラッシュ（✗）で表すリズム譜の3つの方法があります。

リズム譜
5線の上に記され、指定されたリズムで弾く。コードのヴォイシングは楽譜の最初、または最後のページにダイアグラムで表示される。また、リズム・パートにシングル・ノートを加えて弾く場合は、リズム記号の上に音名をフレットと弦の番号とともに表記することもある。

5線譜
音程と音価を表し、小節を小節線によって分割する。音程はアルファベットの最初の7文字（C、D、E、F、G、A、B）で読む。

タブ譜（TAB）
フィンガーボードを視覚的に表したもの。それぞれの音とコードは、該当する弦に記されたフレット番号で、押さえる位置を示している。

奏法上の記譜と解説

半音ベンド
ピッキングの後、弦をベンドして半音（1フレット分）上げる。

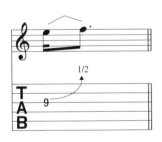

全音ベンド
ピッキングの後、弦をベンドして全音（2フレット分）上げる。

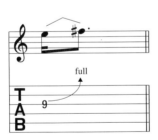

グレイス・ノート・ベンド
ピッキングの後、素早く指定された音まで弦をベンドする。

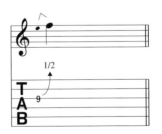

スライト・ベンド
ピッキングの後、弦をわずかにベンドして（1フレットの約半分）1/4音上げる。

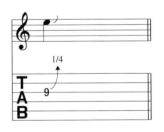

ベンド＆リリース
ピッキングの後、指定された音までベンドし、ふたたび元のピッチまでベンドをゆるめる。ピッキングするのは最初の音だけ。

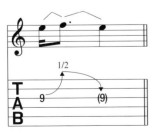

プリベンド
あらかじめ指定された音までベンドしておきピッキングする。

プリベンド＆リリース（リバース・ベンド）
指定された音までベンドしておいてからピッキングし、ベンドをゆるめて元のピッチに戻す。

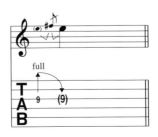

ユニゾン・ベンド
両方の音をピッキングし、素早く低い方の音を高い方の音と同じピッチになるまでベンドする。

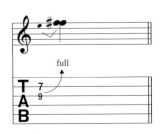

ヴィブラート
押弦している指、手首、腕などを使ってベンド＆リリースを素早くくり返して、音を揺さぶる。

ワイド・ヴィブラート
通常のヴィブラートよりも、さらに大きく音を変化させる。

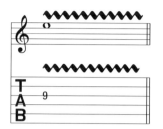

ハンマリング・オン
最初の音をピッキングした後、別の指で弦を叩くように高い方の音を出す。ピッキングするのは最初の音だけ。

プリング・オフ
最初の音をピッキングした後、別の指で下方向へ弦をひっかくようにして低い方の音を出す。ピッキングするのは最初の音だけ。

レガート・スライド
ピッキングした音から次の音まで、押さえた指を滑らせる。ピッキングするのは最初の音だけ。

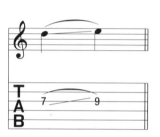

シフト・スライド
レガート・スライドと同じ方法だが、2つめの音もピッキングする。

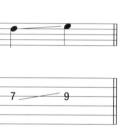

トリル
指定された音をハンマー・オンとプル・オフで、できるだけ速くくり返す。

タッピング
＋マークのついた音を右手の指で叩いて出し、フレットを押さえている音にプリング・オフする。

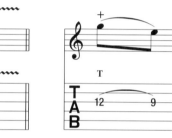

ナチュラル・ハーモニクス
タブ譜に指定された音のフレット上に指を軽くふれ、ピッキングする。

ピンチ・ハーモニクス
タブ譜に指定されたフレットを押さえ、ピックを持った手の親指の側面（または爪）または人差し指をピッキングと同時に弦にあててハーモニクスを得る。

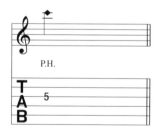

ハープ・ハーモニクス
タブ譜の最初の音を押さえ、2番めのフレット番号の位置にピッキングする手の人差し指などで軽く触れ、さらに別の指を使ってピッキングしてハーモニクスを得る。アーティフィシャル・ハーモニクスとも呼ぶ。

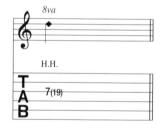

ピック・スクラッチ
ピックの側面を弦にあて、ネックを上行または下行してスクラッチ・サウンドを得る。

マッフル・ミュート
弦を押さえずに軽く触れ、指定された音域の弦をピッキングしてパーカッシヴなサウンドを得る。

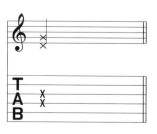

パーム・ミュート
ピックを持った掌の腹をブリッジ付近の弦に軽く触れた状態でピッキングし、弱音効果を得る。

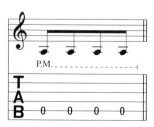

レイク
アルペジオの要領でミュートして上または下からピッキングし、最後の弦（目標の音）のみミュートしないで鳴らす。インターヴァルが指定されている場合もある。

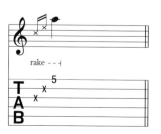

トレモロ・ピッキング
音符の長さ分だけ素早くピッキングをくり返す。

アルペジアート
指定されたコードを低い方から高い方へ弾きハープのように鳴らす。逆の場合もある。

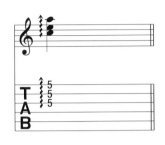

トレモロ・バー／ダイヴ&リターン奏法
押さえた音またはコードをトレモロ・バーを使って指定されたピッチに音を変化させる。

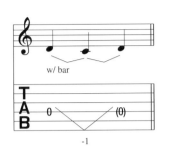

トレモロ・バー／スクープ奏法
トレモロ・バーをあらかじめ下げておいて、ピッキングと同時に素早くバーを戻す。

トレモロ・バー／ディップ奏法
ピッキングと同時にトレモロ・バーを使って指定された音程分を素早く下げすぐに戻す。

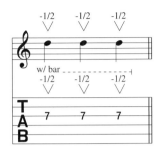

その他の表記

 アクセント
強く演奏する。

Rhy. Fig. リズム・フィギュア
おもにコードで演奏する小さな単位の伴奏パターン。

 マルカート
さらに強く演奏する。

Riff リフ
おもに単音で演奏するくり返しのパターン。

 スタッカート
音を短く切って演奏する。

Fill フィル
メロディーやリズムの隙間に、短いフレーズを入れること。オカズとも呼ぶ。

⊓ **ダウン・ストローク**

Rhy. Fill リズム・フィル
コード演奏によるフィル。

∨ **アップ・ストローク**

tacet タチェット
「静かに」の意味で、演奏を休止することを指示する。

D.S. al Coda ダル・セーニョ・アル・コーダ
5線の下部に記され、*D.S.*の部分からセーニョ・マーク（𝄋）のある小節まで戻り、コーダ・マーク（*to* ⊕ または *to Coda*）のついた小節からコーダ（⊕ または *Coda*）へ進む。

 リピート・マーク
リピート・マークで囲まれた小節をくり返す。

D.C. al Fine ダ・カーポ・アル・フィーネ
5線の下部に記され、曲のアタマに戻り*Fine*で終わる。

 リピート・マーク
1回目は、1カッコを演奏し、リピートの後の2回目は1番カッコを跳ばし2番カッコへ進む。

定価［本体 3,800 円＋税］

スーパー・ギタリストから学ぶ

リズム・ギター／リックス 《模範演奏CD付》
Masters of Rhythm Guitar

Joachim Vogel 著

本書は、現代のギタリストたちの本当の意味での手本となる、またはルーツとなる、優れたリズム・ワークを創り出したプレイヤーのテクニックとセンスを満載したリック集です。

ジャンルを越えた22人のスーパー・ギタリスト／それぞれ10のリックを収録（全240例）。

【掲載ギタリスト】

Chuck Berry ／ Charlie Byrd ／ Steve Cropper ／ David "The Edge" Evans ／ Jimi Hendrix ／ James Hetfield ／ Paul Jackson Jr.／ Albert Lee ／ Bob Marley ／ John Mclaughlin ／ Scotty Moore ／ Jimmy Nolen ／ Jimmy Page ／ Joe Pass ／ Prince ／ Keith Richards ／ Nile Rodgers ／ Steve Stevens ／ Andy Summers ／ Marle Travis ／ Eddie Van Halen ／ Malcom Young

模範演奏は著者による演奏で、オリジナル・アーティストの演奏ではありません

定価［本体 4,300 円＋税］

シングル・ラインの演奏を極める

ジャズ・ギター　ライン＆フレーズ 《模範演奏CD付》
Complete Book of Jazz Guita Lines & Phrases

Sid Jacobs 著

私たちは模倣することによって、話し方を学びます。私たちは自分の考えを表現するために、すでに存在する言語を使います。すでに存在するイディオムからフレーズを用いて、連結させるという点において、インプロヴァイザーにとっても全く同じことが当てはまります。ラインを文章に、そしてインプロヴィゼイションを会話に置き換えれば、その過程を理解しやすくなります。

単語をつなげてフレーズにしていると、その人が会話をするスタイルが形成されます。したがって、より多くのヴォキャブラリーをもっていれば、それだけ自分を表現する手段が備わっていることになります。それと同様に、プレイヤーの音楽的フレーズをつなげ方が、その人のインプロヴィゼイションのスタイルを形成し、そしてより多くのヴォキャブラリーをもっていれば、それだけ自分を表現する手段が備わっていることになるのです。ジャズ言語のイディオム的フレーズは、他の音楽のそれとは異なっています。本書では、譜例をとおして、ジャズのラインとフレーズを創るために使われるアイディアを解説します。

インプロヴィゼイションは芸術（アート）です。自分のアイディアを明確に表現する能力は、技術（クラフト）です。自分のアイディアを創造的に即興的につなげる時、技術は芸術のレベルまで上がります。

自分のスピーチのパターンとフレージングを観察してみましょう。2つまたは3つの単語が、全く同じ音量で話されることはないことに気づくはずです。私が指摘したいのは、音楽において最初に学び、最初に忘れてしまうレッスンの1つであるダイナミクスを、会話で自然に使っているということです。上手な会話では、1つのアイディアからもう1つのアイディアへと自然に流れていきます。私たちは流ちょうさをもってアイディアをつなげます。ジャズ・インプロヴィゼイションにおいては、会話の話題はコード・チェンジや転調であり、演奏しているコードをメロディックに示唆し、どのような時でも、キー・センターにおける近くの使用可能なコード・トーンや音をスムースに連結する能力が必要とされます。

定価［本体 3,000 円＋税］

フィンガースタイル・ジャズ・ギター
ウォーキング・ベース・テクニック 《模範演奏CD付》
Fingerstyle Jazz Guitar / Teaching Your Guitar to Walk

Paul Musso 著

ジョー・パス、タック・アンドレス、マーティン・テイラーをはじめとする、ソロ・ギターの名手の得意技、ウォーキング・ベース・テクニックをマスターする。

- ●ベース・ラインとコードをブレンドして、ひとり2役を演じる、ジャズ・ギターのもっとも魅力的な奏法の基礎を学ぶ
- ●初めてこの奏法にチャレンジする人にも、エクササイズを順に練習していくだけで、自然に、また確実に習得できるようにプログラムされている
- ●豊富なエクササイズと練習曲を、TAB譜とCDで楽しくマスター
- ●ジャズ・ギタリストでないあなたにも、効果的に応用できる

ロベン・フォード　ブルース・ライン＆リズム 《模範演奏＆プレイ・アロングCD付・タブ譜付》

Robben Ford 著・演奏

本書ロベン・フォード／ブルース・ライン＆リズム は、REH Hotline Series の Robben Ford - Blues と Robben Ford - Rhythm Blues の 2 冊を 1 冊にまとめた日本語版です。

本書は、ロベン・フォードの模範演奏と解説で、ブルースにおけるリードとリズムの 2 つの側面を学ぶたいへん興味深い内容になっています。

本書に含まれる要素

Part 1： ロベン・フォードの特徴的なブルース・フレーズの組み立て方とフィンガリングを探究する

クラシック・ブルース・リックとメロディック・アイディア

ハンマリング・オン、プリング・オフ、スライド、ベンド、ダブル・ストップなどのブルース・ギターをプレイする上で欠かせないテクニック

テーマの発展、イヤー・トレーニング、セオリー

ディミニッシュ、ホールトーン、ペンタトニックなど、ブルース進行における効果的なスケールの使い方

Part 2： ロベン・フォードの特徴的な、コード・ヴォイシングとドライヴするリズム・パターンによる

すばらしいコンピング・テクニックを探究する

ファンキー・ブルース、シャッフル・ブルース、スロー・ブルースにおけるコンピング

2 音または 3 音のヴォイシングによるコンピング・テクニック

13th、♯5♯9、ディミニッシュなどの、ギター特有のコード・ヴォイシングによるコンピング・テクニック

スライディング 6th（6 度のインターヴァルのダブルストップによるスライド・テクニック）

イントロとエンディング・パターン

パッシング・コードとヴォイス・リーディング

7th コードの異なるヴォイシング

定価［本体 3,000 円＋税］

コーネル・デュプリー　リズム＆ブルース・ギター
《模範演奏＆プレイ・アロングCD付・タブ譜付》

Rhythm & Blues Guitar　*Cornell Dupree* 著・演奏

King Curtis のバンドを経て、何千というセッションをこなしながら、伝説のインストゥルメンタル・リズム＆ブルース/フュージョン・バンド*STUFF* を結成し、*Eric Gale* とともに、実にクールなギターをプレイする*Cornell Dupree*。

彼が歩んできた道のりを、リズム＆ブルースの返還とともに詳細に解説。*King Curtis*、*Jimi Hendrix*、*Billy Butler*、*Big Joe Turner*、*Ray Sharpe*、*Bobby Womack*、*Sam Cooke*、*Jerry Wexler*、*Steve Cropper*、*Ike Turner*、*Eric Gale*、*James Jamerson*、*Lloyd Price*、*Wilson Picket*、*Brook Benton*、*Duan Allman*、*Freddie King*、*Joe Cocker*、*Jerry Jemmott*、*Bernard Purdie*、*Tom Jones*、*Harry Belafonte*、*Lena Horn*、*Sarah Vaughan*、*Barbra Streisand*、*Mariah Carey* など、彼のセッション・ワークの数々を *Cornell* 自ら回想、語ってくれる。

ジャンルを越えて、今もなおひっぱりだこのセッション・ギタリスト *Cornell Dupree* が、自らプレイし解説してくれる本書は、リズム＆ブルース・ギターのスタイルとテクニックを身につけることができる最高のメソッド。全 10 曲／TAB 譜付。

定価［本体 2,800 円＋税］

インプロヴィゼイションが向上する 50 の方法
アメイジング・フレイジング　ギター 《模範演奏CD付・タブ譜付》

Amazing Phrasing Guitar　*Tom Kolb* 著・演奏

本書では、バランスのとれたリズミック、そしてメロディック・フレーズを創るために必要となる、すべての大切な構成要素を探求します。また、これらのフレーズを組み合わせて 1 つのソロを形成する方法についても解説します。ロック、ブルース、ジャズ、フュージョン、カントリー、ラテン、ファンクなど、たくさんのスタイルを取り上げ、すべてのコンセプトを具体的なソロの譜例によって明示しています。

本書のマテリアルは、中級から上級者向けに、50 のアイディアとしてまとめられ、大きく 5 つのセクションに分けられています。オープニングのベーシックのセクションでは、フレーズやソロに活力を与えるための大切な基礎でありながら、忘れてしまいがちなテクニックを網羅します。2 つめのメロディック・コンセプトでは、メロディック・フレージングのさまざまな方法を探求します。ハーモニーの装飾のセクションでは、ハーモニック・インターヴァル（ダイアド）、コード、コード・パーシャル（コードの部分的な使用）をメロディックに使用する可能性について検証します。

リズミック・コンセプトでは、リズミック・フレージングのさまざまなコンセプトを取り上げ、それらをメロディックなソロにどのように結びつけるかについて探求します。最終章のソロ・ストラクチャ（ソロの構成）では、1 つの大きな絵を完成させるために、本書で取り上げたすべてのトピックをまとめます。

定価［本体 3,200 円＋税］

定価［本体 3,300 円＋税］

ブルース・ユー・キャン・ユース

ブルース・ギター　スケール＆コード・スタディ

Blues You Can Use 《模範演奏 CD/タブ譜付》

John Ganapes 著

ブルースのフレーズを弾きながら、スケール、コード、コード進行、リズムなどのテクニックや理論を学ぶ
さまざまなスタイルのブルースが、各曲ごとに明確なテーマをもち、高品質なソロをレベル的に無理なく弾け、
マスターできたときの充実感も抜群
初・中級者の独習、ギター教室での使用に最適
ここさえ押さえればばっちりという、ブルース・ギターのツボを満載

すべてのセクションに用意されているマテリアルは、1つまたは2つのキーで用意され、ほとんどがフィンガーボード全体を使った練習になっています。

付属の CD には、すべての練習曲がバンド演奏とともに収められ、練習曲によっては、ノーマル・テンポに加え、スロー・テンポのヴァージョンも収録されており、速いパッセージでも1つひとつの音がよく聴きとれるようになっています。

Lesson 1：マイナー・ペンタトニック・スケール　Lesson 2：移動可能なスケールとコード　Lesson 3：クイック・チェンジ進行　Lesson 4：パターンの連結　Lesson 5：スプレッド・リズム　Lesson 6：サークル・オブ 5th　Lesson 7：9th コードの導入　Lesson 8：すべてのパターンの連結　Lesson 9：フィンガーボード全体を使ったスケールの練習　Lesson 10：広範囲なスケール演奏とオルタネート・ピッキング　Lesson 11：スケール・セオリー　Lesson 12：メジャー・ペンタトニック・スケール　Lesson 13：メジャー・ペンタトニックとマイナー・ペンタトニックの組み合わせ　Lesson 14：パッシング・コードと13th の使用　Lesson 15：2本の弦の組み合わせで弾くスケール　Lesson 16：隣り合うスケール・パターン間の移動　Lesson 17：弦をスキップするスケール演奏　Lesson 18：マイナー・スケールとコード・フォームの組み合わせ　Lesson 19：メジャー・スケールとコード・フォームの組み合わせ　Lesson 20：スピードの加速　Lesson 21：スケール・パターンの使用法

定価［本体 3,300 円＋税］

ブルース・ギター　リード＆リズム・スタディ

《模範演奏 CD/タブ譜付》

More Blues You Can Use

John Ganapes 著

ブルース・ギターのテクニックを完璧にマスターする究極のメソッド
本格的なブルース・フレーズ満載
スケール、アルペジオ、シングル・トーン・テクニック、コード、コード進行、
リズム・ギター・スタイル、リード・ギター・スタディ

すべてのセクションに用意されているマテリアルは、1つまたは2つのキーで用意され、ほとんどがフィンガーボード全体を使った練習になっています。

付属の CD には、すべての練習曲がバンド演奏とともに収められ、左チャンネルにリード・ギターを、右チャンネルにリズム・ギターを配置し、バランス・コントロールを使うことで、プレイ・アロング（マイナス・ワン）として自由に活用できます。

Lesson 1：ペンタトニック・スケール　Lesson 2：ブルースのラン　Lesson 3：ワン・ポジションで弾くラン　Lesson 4：1本の弦と2本の弦を使用するペンタトニック・スケール　Lesson 5：ベンディング・テクニック　Lesson 6：単弦のトレモロ、ペダル・トーン、弦のスキップ　Lesson 7：フィンガーボード全体の3度のインターヴァル　Lesson 8：フィンガーボード全体の6度のインターヴァル　Lesson 9：ドミナント 7th のアルペジオ　Lesson 10：マイナー 7th のアルペジオ　Lesson 11：左手のテクニック、スケール・トーンとアルペジオ・ノートへのクロマティック・アプローチ　Lesson 12：上行と下行のレイキング　Lesson 13：バタフライ・ヴィブラートとクラシック・スタイル・ヴィブラート

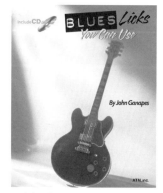

定価［本体 2,800 円＋税］

ブルース・ギター　リックス

《模範演奏 CD/タブ譜付》

Blues Licks You Can Use

John Ganapes 著

75 例におよぶ、クールなブルース・ギターのリックを掲載
付属の CD では、各リックの模範演奏をノーマル・テンポとスロー・テンポで収録
仕上げに、掲載のリックを組み合わせたり、自分のリックを創り、アイディアを組み立てられるよう、
各種の 12 小節ブルースのバックグラウンド（マイナス・ワン）を収録

Section 1：GROOVIN' EASY ～ C Dominant 12-Bar Quickchange ～スロー・ブルース　Section 2：UP-TEMPO BOUNCE ～ Shuffle Progression in A ～シャツフル・スウイング　Section 3：ROCKIN' IT UP ～ Rockin' Blues Progression ～ホット・ブルース・ロック　Section 4：A BIT OF FLASH ～ Another Slow Blues ～スロー・ブルース　Section 5：A TASTE OF JAZZ ～ 12-Bar Shuffle in F ～ジャズ・フィール・シャツフル

ブルース・ギター／パワー・トリオ・ブルース
Power Trio Blues Guitar 《模範演奏 CD/タブ譜付》

Dave Rubin 著

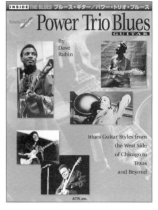

定価［本体 3,000 円＋税］

ブルース・ギター／パワー・トリオ・ブルースは、ベースとドラムを伴ったトリオにおけるエレクトリック・ギターの演奏スタイルを採り上げます。完全な、そしてエキサイティングなブルースのためのブギー、シャッフル、そしてスロー・ブルースのリズム、リック、ダブル・ストップ、コード、そしてベース・パターンが紹介されています。*Smokin' Power Trio* による演奏を収録した CD は、解説のみならず、一緒にジャムをするためのものです。

シカゴとテキサスのブルース・マンたちの音楽スタイルが、彼らと彼らの愛器の貴重な写真とともに紹介されています。

主なスタイル：ウエスト・サイド・ブルース、サウスサイド・ブルース、テキサス・ブルース

ブルース・ギター／アート・オブ・シャッフル
Art of the SHUFFLE for Guitar 《模範演奏 CD/タブ譜付》

Dave Rubin 著

定価［本体 3,000 円＋税］

ブルース・ギター／アート・オブ・ザ・シャッフルは、1800 年代終わりから 1940 年代終わりまでのシャッフル、ブギー、スウィングのリズムのルーツをたどります。デルタ、カントリー、シカゴ、カンサス・シティ、テキサス、ニューオリンズ、ウェスト・コースト、そしてビバップといったスタイルを、たくさんの楽曲例とともに深く探求します。付属の CD には、完全なリズム・セクション（ギター、ベース、ドラム）による各 Example の実演が収められています。楽譜とタブ譜、そして 20 以上の貴重な写真も掲載されています。

主なスタイル：デルタ、カントリー、シカゴ・ブルース、カンサス・シティ・ブルース、テキサス・ブルース、ニューオリンズ・ブルース、ウエスト・コースト・ブルース、ビバップ・ブルース

ブルース・ギター／バース・オブ・グルーヴ
Birth of the Groove 《模範演奏 CD/タブ譜付》

Dave Rubin 著

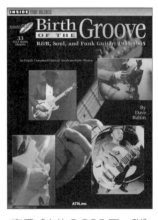

定価［本体 3,300 円＋税］

ブルース・ギター／バース・オブ・グルーヴは、1945 年から 1965 年にかけて、アメリカの音楽シーンに革新的で興味深い変動が起きました。ブルースとスウィング・ジャズの影響で生まれたその新しい音楽はリズム＆ブルースと呼ばれ、ロックンロールはいうまでもなく、ソウル音楽の発展に取って代わりました。ブルースとスウィング・ジャズというふたつのジャンルを結びつけたものは、ビートの強調もしくはノリのいいメロディでした。ファンク独特の切り裂くようなワン・コードのカッティングに絶頂期を迎えようとしていました。このようにして、戦後を代表する何人かの偉大なギタリストたちは、次々にヒットを飛ばして新境地を探求しました。

本書は、リズム＆ブルース、ファンクのグルーヴとテクニックを代表的なギタリストのバイオグラフィーとともに解説しています。

ブルース・ギター／ 12 バー・ブルース 《模範演奏 CD/タブ譜付》
12-Bar Blues / The Complete Guide for Guitar

Dave Rubin 著

定価［本体 3,000 円＋税］

今や 12 小節ブルースということばは、ブルース・ミュージックと同じ意味になり、ジャズ、ロックンロール、ポピュラー・ミュージックの基本になっています。本書と付属の CD には、24 のフルバンド・トラックを含み、さまざまなブルース・スタイルの演奏が学習でき、12 小節ブルースの王道をプレイするために必要なすべてのテクニックを用意しました。

本書は、12 小節ブルースの起源からその歴史を解説してあり、ブルースの資料本としても必読の 1 冊です。

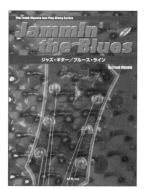

定価［本体 3,500 円＋税］

ジャズ・ギター／ブルース・ライン 《模範演奏 2CD 付》
Jammin' the Blues
Frank Vignola 著・演奏

ファンキー、ブルージー、バップなどのさまざまなスタイルのブルース進行を 32 曲タップリと CD 2 枚に収録。各曲は、2 種類のテンポで録音されているので、スロー・テンポを使えばビギナーでもタブ譜を見ながら確実にマスターできる。

ジャズ・ギター／リズム・チェンジ 《模範演奏 2CD 付》
Rhythm Changes
Frank Vignola 著・演奏

ジャズにおいてブルース進行の次に最も多く使われるコード進行（I-vi-ii-V）であるリズム・チェンジをさまざまなキーで 30 曲タップリと CD 2 枚に収録。リズム・チェンジに慣れておけば、どんな進行の曲に遭遇しても戸惑うことなくプレイできるでしょう。

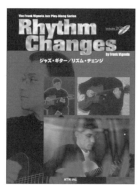

定価［本体 3,500 円＋税］

スタンダード進行で弾く ジャズ・ギター・ソロ 《模範演奏 CD 付》
Jazz Solos / Improvised Solos over Standard Progressions
Frank Vignola 著・演奏

有名なジャズ・スタンダードのコード進行上でのインプロヴィゼイション・ソロための練習素材。付属の CD では、著者 Frank Vignola によるギター・コンピングをバックグラウンドに、さまざまなスタイルのインプロヴァイジング・ソロの模範演奏を収録。

定価［本体 2,800 円＋税］

J.S. バッハ・フォー・エレクトリック・ギター 《模範演奏 CD 付》
J.S. Bach for Electric Guitar
John Kiefer 著・演奏

J.S. バッハ　それは現代に至ってもなお、ミュージシャンにとって無縁でいられない偉大な存在
すべてのギタリスト必携のバッハ名曲集

- バッハの芸術を体験し、演奏テクニック（ライト・ハンド、ピックと指のコンビネーション、右手と左手のコンビネーションなど）、イヤー・トレーニング、フレージングなどの効果的な練習ができる
- イングヴェイ・マルムスティーン、ランディ・ローズ、リッチー・ブラックモアなども学んだバッハを弾いて、作曲やインプロヴィゼイションのスキル・アップをしよう
- ギタリストにとって、バッハはとっておきの練習材料になる
- 全曲 TAB 譜付

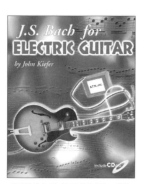

定価［本体 2,500 円＋税］

ホールトーン・スケールで弾く
ジャズ・ギター・リックス 《模範演奏 CD 付》
Jazz Guitar Licks in Tablature
Jay Umble 著・演奏

パット・マルティーノやスティーヴ・カーンも推薦する、本書ジャズ・ギター・リックスは、フレットボードに隠されたホールトーン・スケールの美しさを理解し、今までにないホールトーンのアイディアとその応用を紹介している。

- ドミナント 7th$^{(\flat 5)}$ とドミナント 7th$^{(\sharp 5)}$ のコード上で弾くといった、ホールトーン・スケールの今までの使い方から抜け出るには、モダンなインプロヴァイズへのまったく新しい道へ心を開くこと。本書では、インプロヴィゼイションの幅を拡げるのに役立つホールトーンのコンセプトをタップリ収録。
- ホールトーン・スケールは、全音だけでなり立つスケールで、そのため、フレットボード上で探すことが容易にできる。しかし、実際は均一で密集しているので、ギターでホールトーン・パターンを弾くのは時どき混乱することがある。本書はそんな悩みを一気に解決してくれる。
- 本書の焦点は、フュージョン・スタイルのインプロヴィゼイションに基礎を置いている。また、これらのフレーズは、スタンダード・チューンによくマッチする。
- 1 小節から 2 小節の短いフレーズから始め、それをつなぎ合わせてオリジナルのリックを創る。
- CD には、本書に掲載の 162 例を限界まで収録（75 分）。リックの宝庫として十分に活用できる。

定価［本体 3,000 円＋税］

ブルース・ソロ・フォー・ギター 《模範演奏＆プレイ・アロング CD 付》
Blues Solos for Guitar　　*Keith Wyatt* 著　*Keith Wyatt* (guitar), *Tim Emmons* (bass), *Jack Dukes* (drums) 演奏

達人たちのソロ・コンセプトを、このユニークな CD 付きの本書で研究してみよう！

フル・バンドのデモ演奏とリズムのみのトラックが収録された CD ・ Albert King、Albert Collins、B.B. King、Jimi Hendrix、Eric Clapton、Stevie Ray Vaughan、Steve Cropper、Freddie King、Lonnie Mack、T-Bone Walker、Gatemouth Brown、Wayne Bennett、Pee Wee Crayton、Chuck Berry、Scotty Moore、Carl Perkins、Brian Setzer のギター・スタイル ・ フレーズごとに演奏方法を解説 ・ ベンディング、ヴィブラート、トーン、ノート・セレクション（音の選択）、その他のヒント　他 ・ 一般的な記譜とタブ譜

定価［本体 3,300 円＋税］

ジャズ・コード・コネクション・フォー・ギター 《模範演奏 CD 付》
Jazz Chord Connection　　*Dave Eastlee* 著・演奏

体系的なアプローチでフィンガーボード上のハーモニーを理解する

Dave Eastlee によるこのすばらしい CD 付教則本は、知っておくべきジャズ・ギター・ヴォイシングを紹介するだけでなく、一般的なコード・プログレッションにおいてそれがどのように使われるかという理論的な解説をしている

56 のデモ・トラックが収録された CD ・ 一般的なフィンガリングとヴォイス・リーディング ・ 一般的なジャズ・コード・プログレッション ・ トライトーン・サブスティテューション、ターンアラウンド、ディミニッシュの法則 ・ その他の重要なジャズ・コンピングのヒント

定価［本体 2,200 円＋税］

ジャズ・インプロヴィゼイション・フォー・ギター 《模範演奏 CD 付》
Jazz Improvisation for Guitar　　*Les Wise* 著・演奏

メロディックなソロをするための創造性に富んだサブスティテューションの原則

Les Wise によるこのすばらしい本と CD が、個々のスケールとアルペジオを継続性とリスナーの興味を保つメロディックなジャズ・ソロに変えてくれる！

付属 CD には、35 のデモ・トラックを収録 ・ テンションと解決 ・ メジャー・スケール、メロディック・マイナー・スケール、ハーモニック・マイナー・スケール ・ 一般的なリックとサブスティテューション・テクニック ・ オルタード・テンションを創る ・ 一般的な記譜とタブ譜

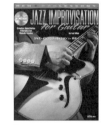

定価［本体 2,200 円＋税］

ジャズ／ロック・ソロ・フォー・ギター 《模範演奏＆プレイ・アロング CD 付》
Jazz-Rock Solos for Guitar　　*Norman Brown, Steve Freeman, Doug Perkins* 共著・演奏

達人たちのソロ・コンセプトを、このユニークな CD 付きの本書で研究してみよう！

フル・バンドのデモ演奏とリズムのみのトラックを収録した CD ・ John Abercrombie、George Benson、Larry Carlton、Robben Ford、Pat Metheny、John Scofield、Mike Stern、Berney Kessel、Wes Montgomery のギター・スタイルをフレーズごとに解説 ・ トライアドを使ってインプロヴァイズする方法、ブルース・フュージョン、静止したコードやヴァンプのためのライン、アトモスフェリック・ジャズ、ダブル・ストップを使ったインプロヴィゼイション、他 ・ 一般的な記譜とタブ譜

定価［本体 2,200 円＋税］

コード／メロディ・フレーズ・フォー・ギター 《模範演奏 CD 付》
Chord-Melody Phrases for Guitar　　*Ron Eschete* 著・演奏

Ron Eschete のすばらしいジャズ・フレーズでコード／メロディ・テクニックを広げよう！

39 のデモ・トラックを収録した CD ・ コード・サブスティテューション（代理コード） ・ クロマチック・ムーブメント ・ コントラリー・モーション（反進行） ・ ペダル・トーン ・ インナー・ヴォイス・ムーヴメント（内声の動き） ・ リハーモニゼイション・テクニック ・ 一般的な記譜とタブ譜

定価［本体 2,200 円＋税］

インターヴァリック・デザイン・フォー・ジャズ・ギター 《模範演奏 CD 付》
Intervallic Designs for Jazz Guitar　　*Joe Diorio* 著・演奏

ジャズ・グレイト Joe Diorio によるインプロヴィゼイションのための超モダンなサウンド

トーナリティを使用したデザイン ・ ダイアトニック・ハーモニーを使用したデザイン ・ ディミニッシュ・スケールを使用したデザイン ・ ドミナント・コードとオルタード・ドミナント・コードのためのデザイン ・ クロマチック・スケールを使用したデザイン ・ 慣例的なプログレッションのためのデザイン ・ さまざまなハーモニック・アプリケーションを使用したデザイン ・ 完全 5 度音程を使用したデザイン ・ フリースタイル・インプロヴィゼイションのためのデザイン

定価［本体 2,200 円＋税］

ジャズ・ソロ・フォー・ギター 《模範演奏 CD 付》
Jazz Solos for Guitar　　*Les Wise* 著　*Les Wise* (guitar), *Craig Fisfer* (piano), *Joe Brencatto* (drums) 演奏

達人たちのソロ・コンセプトを、このユニークな CD 付きの本書で研究してみよう！

フル・バンドのデモ演奏とリズムのみのトラックが収録された CD ・ Wes Montgomery、Johnny Smith、Jimmy Raney、Tal Farlow、Joe Pass、Herb Ellis、Jim Hall、Pat Martino、George Benson、Barney Kessel、Ed Bickert のギター・スタイル ・ フレーズごとに演奏方法を解説 ・ アルペジオ・サブスティテューション、テンションと解決、ジャズ・ブルース、コード・ソロイング　他 ・ 一般的な記譜とタブ譜

定価［本体 3,300 円＋税］

本シリーズは、*Jon Finn*、*Vic Juris*、*Steve Masakowski*、*Sid Jacobs*、*Mimi Fox*、*Ron Eschete*、*Barry Greene*、*Bruce Saunders*、*Mark Boling*、そしてジャズ・ラインの探求シリーズでおなじみ *Corey Christiansen* など、最高のプレイヤーやエデュケーターによって書かれた本とCDのセットです。

この**コンセプト徹底活用シリーズ**は、初心者から上級者までのミュージシャンが、さまざまな特定のコンセプトを消化しやすい形で伝授するということを可能にしてくれました。

豊かなハーモニーを生み出す
ジャズ・イントロ＆エンディング 《模範演奏CD付》
JAZZ INTROS AND ENDINGS　　*Ron Eschete* 著・演奏

ジャズ・イントロ＆エンディングは、さまざまなキーやスタイルの楽曲におけるイントロとエンディングを60例紹介しています。著者 *Ron Eschete* は *Ray Brown*、*Gene Harris, Ella Fitzgerald* をはじめとするビッグネームと共演するなど有名で、称賛されているギタリストです。ここでの豊かなハーモニーによるフレーズは、あなた自身のイントロやエンディングを生み出すうえで多くのすばらしいアイディアと理解をもたらすでしょう。譜面では5線譜に加えられたコード・ダイアグラムが学習の助けとなります。

定価[本体2,500円＋税]

ジャズ・コードとラインを活かすガイド・トーン
ザ・チェンジ 《模範演奏CD付》
THE CHANGES: GUIDE TONES FOR JAZZ CHORDS, LINES & COMPING　　*Sid Jacobs* 著・演奏

ザ・チェンジ は、フレットボード上でガイド・トーンを視覚化（頭の中で、指の細かな動きまで、具体的に思い浮かべること）するノウハウを提供するもので、ビギナーから上級者まで利用できる効果的なアプローチです。**視覚化されたシェイプ**を元に、ソロでのラインや、コンピングやコード・メロディのためのヴォイシングを創りだすことができます。

シンプルなアプローチこそが常にベストです。ガイド・トーンはプレイを容易にするだけでなく、コード・プログレッションを心地よく耳に伝えます。またガイド・トーンを装飾することは、バロックからビバップ、さらにその先の音楽に至るまで、ミュージシャンたちがインプロヴィゼイションにおいてコード・チェンジを行う際にずっと用いてきた手法です。

定価[本体2,500円＋税]

センスある伴奏テクニックを学ぶ
コンピング・コンセプト 《模範演奏CD付》
CREATIVE COMPING CONCEPTS FOR JAZZ GUITAR　　*Mark Boling* 著・演奏

コンピング・コンセプト は、6つのコード・プログレッションにおけるコンピング・ヴォキャブラリーを発展させることによって、この状況を改善することを目指します。本書で使われるコード・プログレッションのモデルは、ブルース、リズム・チェンジ、マイナー・ブルース、モーダル・チューン、そしていくつかのスタンダードといった、ジャズ・イディオムにおいてもっともよく使われるものです。焦点は、リズム、フレージング、コード・ヴォイシング、ヴォイス・リーディング、コード・サブスティテューション、そしてリハーモナイゼーションに対するコンテンポラリーなアプローチを発展させることにあてています。本書で紹介するコンピング・コンセプト、リズム、そしてフレーズは、たくさんのさまざまな音楽的状況において適用されます。一度ヴォキャブラリーを習得すれば、**適切な時に、それらが自然に自分の中から出てくる**ようになるでしょう。

定価[本体2,500円＋税]

一歩進んだインプロヴァイジング・コンセプト
ジャズ・ペンタトニック 《模範演奏CD付》
JAZZ PENTATONICS / ADVANCED IMPROVISING CONCEPTS FOR GUITAR　　*Bruce Saunders* 著・演奏

本書ジャズ・ペンタトニックでは、典型的なギター学習者特有の要求に対応しながら、より活発なハーモニーの動きにおけるペンタトニック・スケールとその使用方法にアプローチすることを試みます。したがって、まずいくつかの基本的なインフォメーションを紹介してから、さまざまなハーモニーの状況における特定のペンタトニック・スケールの使い方を提示します。静止したハーモニー上のペンタトニック・スケールの使い方についても簡単に探求しますが、ギターをピアノ、サクソフォン、またはトランペットと同じ土俵に上げ、**ペンタトニック・スケールとコード・チェンジの関係を研究すること**が、本書の中心的なテーマです。

定価[本体2,500円＋税]

一歩進んだインプロヴィゼイションのためのアイディア
上級ジャズ・ギター・インプロヴィゼイション 《模範演奏CD付》
ADVANCED JAZZ GUITAR IMPROVISATION　　*Barry Greene* 著・演奏

本書は中級から上級者のジャズ・ギタリストに向けて書かれています。コード・スケールとジャズ理論に関する、相応の知識をもっていることを前提としています。テーマとして、モード的な演奏、コード・サブスティテューション、ディミニッシュおよびメロディック・マイナー・スケール、そしてペンタトニックを取り上げます。

定価[本体2,500円＋税]

PRIVATE LESSONS

ブルース/ロック・インプロヴィゼイション 《模範演奏CD付》
BLUES/ROCK IMPROV　　*Jon Finn* 著・演奏

本書ブルース/ロック・インプロヴィゼイションでは、ブルース/ロックのソロ演奏に関する基本を紹介します。具体的には、基本的なリズム・ギター・パート、基本的なブルース・プログレッション、ターンアラウンド、ソロ・エクササイズ、そしてソロの演奏例を学びます。付属CDに収録されている曲は、重要な技術と考えられるものを強調するように工夫されています。

すばらしいブルース/ロックのソロは、2つか3つの簡単なコード上で演奏される、いくつかのシンプルなペンタトニック・ロック・リックにすぎません。多くのギタリストたちが、**あまりにも単純なので、時間をかけて練習する必要はない**という大きな誤解をしてしまいます。より注意深く聴いてみると、多くのブルース/ロックのソロには、共通する傾向があります。技術的には簡単に演奏できるが、課題は、自分自身のアイディアをもち、スタイルの傾向に従って、それを正確に実践し、そしてリスナーが注目するに値する情熱を込めることです。**簡素と簡単は同じではないのです。**

定価[本体2,500円＋税]

ロック/フュージョン・インプロヴァイジング 《模範演奏CD付》
ROCK/FUSION IMPROVISING　　*Carl Filipiak* 著・演奏

本書では、フュージョン特有の多くのコンセプトを取り上げ、解説します。これらのアイディアを自分の演奏に取り入れれば、プレイ・アロングCDに収録されている曲のみならず、その他のフュージョンやジャズの曲を演奏する上でも役に立つでしょう。

本書は、*Miles Davis*、*Mahavishunu Orchestrs*、*Weather Report*、*Tribal Teck*、*Mike Stern*、*Jeff Beck* など、ロックの要素を取り入れたスタイルを中心に書かれています。ロックやブルースの基礎に慣れていれば、ほとんどの譜例に適応できるはずです。ジャズに精通した人であれば、なおさら簡単に理解することができるでしょう。

定価[本体2,500円＋税]

ギターのための一歩進んだジャズ・ハーモニー
コルトレーン・チェンジ 《模範演奏CD付》
COLTRANE CHANGES / APPLICATIONS OF ADVANCED JAZZ HARMONY FOR GUITAR　　*Corey Christiansen* 著・演奏

偉大なジャズ・インプロヴァイザー、ジョン・コルトレーンは1960年に発表したアルバム Giant Steps によって、その後のリハーモニゼイションの世界に大きな影響を与えました。本書では、難解とされるコルトレーン・チェンジ（コルトレーンのリハーモニゼイション）を基礎から分析、解説し、スタンダードやブルースのコンピングやソロに応用する方法を学びます。現在では、このコルトレーン・チェンジもジャズ・インプロヴィゼイションの基本的な手法になっています。これを機に、この難題にチャレンジしてみましょう。

定価[本体2,500円＋税]

ギターのための高度なブルース・リハーモナイゼイションとメロディック・アイディア
モダン・ブルース 《模範演奏CD付》
MODERN BLUES / ADVANCED BLUES REHARMONIZATIONS & MELODIC IDEAS FOR GUITAR　　*Bruce Saunders* 著・演奏

本書は、ブルース演奏におけるメロディックおよびハーモニックなヴォキャブラリーを発展させたい中級から上級のプレイヤーに最適です。ここではジャズで演奏されること多い、リハーモナイズされた12小節のブルースを取り上げ、チャーリー・パーカー、ジョン・コルトレーン、ジョー・ヘンダーソンなど、偉大なプレイヤーの手法を分析しています。付属のCDには模範演奏だけでなく、ドラム、アコースティック・ベース、ギターによる生演奏が収録。リズム・セクションと一緒に練習することができます。

定価[本体2,500円＋税]

ギターのための一歩進んだハーモニー
モダン・コード 《模範演奏CD付》
MODERN CHORDS / ADVANCED HARMONY FOR GUITAR　　*Vic Juris* 著・演奏

練習、応用、作曲は、実用的なコード・ヴォキャブラリーを発展させるための鍵となる3つの要素です。そして、それこそが、本書のテーマです。新しいコードを発見することは、この上ない喜びです。しかし、そのコードをヴォキャブラリーに加えることは、また別の話です。新しい単語を学んだら、それを毎日の会話で使わなければ、すぐに忘れてしまうでしょう。すなわち、それが練習であり、応用です。さらに、その新しい単語を使って記事やEメールを書くとしましょう。それが、ここで意味する作曲なのです。

主な内容
ハーモニック・シラバス、トライアド、トライアドの応用、ヴォイス・リーディング、スプレッド・トライアド、ヴォイシングの観察、スプレッド・トライアドを使用した作曲、複合トライアド、複合トライアドを使用した作曲、ビッグ・ファイブ、基本的な7thコード、インターヴァリック・ストラクチュアとモーダル・コード

定価[本体2,500円＋税]

いろんなスタイルを身につけて
楽しく、カッコよくギターを弾こう!!
ロードマップ (道標) をたよりに、確実にマスターする
フレットボード・ロードマップ・シリーズ
定価・各巻 [1,800円]

ロック・ギターを弾こう《CD付》
ブルース・ギターを弾こう《CD付》
スライド・ギターを弾こう《CD付》
カントリー・ギターを弾こう《CD付》
ブルーグラス&フォーク・ギターを弾こう《CD付》

ATN, inc.

フレットボード・ロードマップ
スライド・ギターを弾こう

FRETBOARD ROADMAPS
SLIDE GUITAR

発　行　日	2001年12月 1日（初版）
	2010年 8月10日（第1版2刷）
著　　　者	Fred Sokolow
翻　　　訳	石川　政実
監　　　修	石井　貴之
発行・発売	株式会社 エー・ティー・エヌ
	© 2001 by ATN,inc.
住　　　所	〒161-0033
	東京都新宿区下落合 3-12-21　目白エミネンス 102
	TEL 03-6908-3692 / FAX 03-6908-3694
ホーム・ページ	http://www.atn-inc.jp

3915

ISBN978-4-7549-3915-1